ENCYCLOPOCHE LAROUSSE

# le théâtre

par

Jean Duvignaud
André Veinstein

**LIBRAIRIE LAROUSSE**

17, rue du Montparnasse, et 114, boulevard Raspail, Paris VIᵉ

ISBN 2-03-001004-9

# Table des matières

# 1. Le théâtre

*par Jean Duvignaud*

En grec, *theaomai* veut dire « voir » et *theatron* désigne ce que l'on voit, le théâtre. Lieu privilégié où l'on isole, pour le tourmenter, un individu, prince ou mendiant, arraché au clair-obscur de la vie quotidienne...

En ce sens, le théâtre est à la fois un art — sans doute le plus ancien de tous — et une expérience collective dont les résonances sont infiniment plus vastes que l'esthétique. Dès son apparition dans la ville grecque, la poésie dramatique cristallise toute l'intensité symbolique dont la langue est capable; elle investit toutes les émotions et la plupart des besoins ou des rêves de l'homme hellénique. Dans la trame de ce langage interviennent cependant des forces qui sont au travail dans la conscience commune. Il est possible, Hölderlin l'a dit, que le peuple grec ait fait l'expérimentation de sa propre individualité sur la scène du théâtre. Et l'on peut constater des choses semblables pour le théâtre élisabéthain ou le théâtre espagnol du « Siècle d'or », pour la tragédie et la comédie française du XVIIe s. Quelque chose de plus que l'art est au travail dans la création dramatique, et qui, pourtant, n'existe que par la poésie...

## une double illusion

Cela dit, deux préjugés pèsent lourdement sur la

connaissance que nous prenons de l'art dramatique. Le premier, qui n'est presque jamais remis en cause, postule que la création dramatique est universelle, que le théâtre en tant que tel doit être l'expression suprême de toute civilisation. Le second est plus dangereux, parce qu'il prétend expliquer la création théâtrale par une prétendue « histoire du théâtre », vaste mouvement puisant sa source dans une primitivité fantastique...

C'est au XVIII$^e$ s. qu'est apparue l'idée que le théâtre représentait l'expression la plus haute de toute civilisation et que tout homme, d'où qu'il fût, devait trouver dans Racine ou Corneille l'image de son existence ou de son « destin ». La formulation la plus complète de cette théorie est donnée par d'Alembert dans l'article « Genève » de l'*Encyclopédie* (l'on y rencontre aussi les idées de Voltaire). Le prestige dont jouit à cette époque le théâtre « classique » du siècle précédent conduit les philosophes de l'époque des lumières à formuler dans toute son ampleur cette revendication à l'universalité humaine. On la trouve chez Schiller comme chez Goethe, chez Hugo comme chez Claudel.

Nous sommes en présence d'un curieux phénomène qui répond assez à ce que l'on nomme l'*ethnocentrisme* : se prendre pour le centre du monde et le détenteur de l'« humaine condition » est probablement une « idée-force » qui a justifié maintes propositions de la philosophie des lumières, de la Révolution et de la pensée libérale du siècle dernier. Mais c'est aussi une « idée folle » : elle a conduit les gens de théâtre à s'engager dans des impasses; elle entraîne certains peuples jeunes à tourner le dos aux possibilités authentiques de leur propre culture pour tenter de traduire à travers la formule européenne de la scène des situations qui lui sont incompatibles.

D'autre part, ce que la Grèce, puis l'Occident chrétien investissent dans leur théâtre paraît bien le propre de ces cultures, des conflits qui déchirent la conscience, de ses angoisses, de ses convulsions

6

intérieures. Les cérémonies sacrées ou rituelles que nous intégrons abusivement dans notre définition traditionnelle du théâtre (Wayang javanais, Kathākali de l'Inde, etc.) ont pourtant peu de choses en commun avec *Antigone* ou *Phèdre,* sauf si nous pratiquons des assimilations arbitraires.

Que toute vie collective, quelle qu'elle soit, représente ou théâtralise son activité ou les rôles qu'elle institue, que toute existence sociale soit dramatisée, cela ne fait aucun doute : un mariage, une discussion politique, une séance de tribunal, un office religieux, une exécution capitale, le supplice d'un hérétique ou d'une sorcière sur la place publique, une fête de famille, un cours d'université sont des actes de théâtralisation. Mais le théâtre en tant qu'art est nécessairement autre chose : la personnalité qu'on y présente est souvent (et presque toujours) une personnalité déviante, criminelle ou coupable. L'image de l'homme qu'on y trouve est toujours renversée, et l'individualité invertie en son contraire négatif : Œdipe, Hamlet, les héros de Strindberg s'affirment dans la déraison; Tamerlan, Richard III, Lorenzaccio se découvrent dans le crime, et Phèdre ou les personnages de Tchekhov dans le malheur. Et, tout au contraire, c'est la collectivité, transposée, intériorisée dans la conscience du créateur, sublimée en justice ou en censure, qui condamne, persécute, torture ces figures du «grand désir» masqué ou de la «libido» pour les détruire enfin par la violence tragique ou la dérision. Et cela, seule l'Europe l'a véritablement connu.

Quant aux explications par l'histoire du théâtre, elles se heurtent, elles aussi, à de grandes difficultés : à qui fera-t-on croire qu'il existe une continuité dans le temps, une évolution mystérieuse et cachée du théâtre depuis les premières manifestations néolithiques (douteuses, il est vrai) jusqu'à nos jours? L'idée d'un engendrement des formes dans la succession, engendrement aboutissant à une logique interne du développement humain, appartient sans doute à l'arsenal idéologique du siècle dernier, de Hegel aux évolutionnistes. Pour que cette interprétation soit fondée, il faudrait que l'on démontre que les cérémonies rituelles ou sacrées propres aux sociétés patriarcales archaïques engendrent le théâtre grec (Nietzsche l'a affirmé sans preuve, mais avec une grande force poétique, dans ce livre de jeunesse qu'est la *Naissance de la tragédie*), que le théâtre « antique » engendre le théâtre occidental du XVIe et du XVIIe s. Or, nous savons par quel renversement, digne, comme l'a noté Lévi-Strauss, de la reconstruction anthropologique, les Européens d'après la Renaissance ont inventé *leur* Antiquité, imaginé *leurs* Grecs ou *leurs* Romains. Le mythe de ce « paradis perdu » disparaîtra, il est vrai, avec l'archéologie scientifique et l'épigraphie contemporaine : on n'invente plus les Anciens quand on les connaît mieux.

À vrai dire, ce que nous appelons le *passé* en art comme souvent en histoire n'est que la sélection que nous opérons dans le temps, la cristallisation de certaines données que nous élevons en affirmations passionnées, l'invention d'un monde irrémédiablement disparu et que nous choisissons arbitrairement pour modèle ou pour justification. Il n'y a pas trace d'évolution là-dedans, et aucun enchaînement ne rattache entre elles les grandes périodes d'expression dramatique européennes, sauf, sans doute, l'identité des inquiétudes. Mais chacune d'elles demande à être traitée à part, dans sa particularité et son originalité.

L'école des *Annales*, en France, a d'ailleurs fait justice de ces croyances idéologiques. À propos de Marguerite de Navarre ou de Rabelais, Lucien Febvre a montré qu'il était impossible d'expliquer les personnages du passé en les traduisant dans notre langue propre, en projetant sur eux notre mentalité de modernes. Pour saisir leur authenticité ou leur spécificité, il convient de les comprendre dans le système ou la structure qui définit le type de société ou de civilisation dans lequel ils sont enracinés.

C'est après, mais après seulement, que nous pourrons répondre à la question que se posait Marx et qui peut se formuler ainsi : comment pouvons-nous encore être sensibles à la fascination exercée par des personnages conçus dans un autre univers et un type différent de civilisation? Comment le mineur de la Ruhr est-il encore ému, quand on les lui présente sur la scène du théâtre de Recklinghausen, par la souffrance et la revendication d'une sauvage petite princesse qui meurt pour accomplir un rite déjà largement dépassé pour les contemporains de Sophocle?

À cela, jusqu'ici, seuls les psychanalystes ont proposé une réponse, qui n'est peut-être pas entièrement satisfaisante, quand ils ont tenté de réduire l'esprit de la tragédie et de la comédie aux formes universelles du «complexe d'Œdipe». Depuis trente ou quarante ans, depuis la confrontation de Malinowski et de Roheim à propos des «sauvages» mélanésiens, la science, sur ce point, hésite. Et la belle analyse d'André Green se heurte aux mêmes difficultés que les historiens universalistes : pouvons-nous projeter le «complexe d'Œdipe», sans doute inséparable des formes familiales européennes, hors des frontières de notre civilisation?

Ou bien il faudrait admettre que nous atteint, au-delà des époques et des spécificités culturelles, la forme même du conflit qui oppose la société et la libido, les règles de la culture et les exigences de la nature : la transgression des interdits, telle que la représente toute forme connue de théâtre en Europe, le viol des prescriptions obligées nous laissent une insurmontable nostalgie. Voilà sans doute qui agit sur notre conscience...

Si nous écartons les idéologies qui ont souvent servi 9

à analyser l'art théâtral dans sa plus grande expansion, il convient, sans doute, de commencer l'examen de la création dramatique par l'examen des formes spécifiques de dramatisation que nous connaissons, de les prendre chacune dans l'ensemble vivant, les systèmes qui les embrassent et définissent leur fonction chaque fois nouvelle, leur rôle, leur insurmontable différence.

## la rupture de la cité

C'est par la *cité* que nous devons commencer, parce que c'est dans la cité grecque que se définit pour la première fois l'expression théâtrale. Plus généralement, nous pouvons constater que le système social et mental qui caractérise les villes en général — villes grecques, villes italiennes du trecento, villes flamandes — est en relation avec la création dramatique, et ce jusqu'à l'apparition des «Temps modernes». Cela tient probablement à l'originalité de l'existence urbaine, à la densité sociale et démographique qu'on y trouve...

La ville constitue une rupture — rupture dans l'espace, rupture dans le temps : ses murs et le genre de travail qu'on accomplit la séparent de la campagne ou des bourgs que protège un château; la gestion des affaires communes, la rencontre permanente des hommes, les rassemblements sur des places ou dans des rues créent des obligations nouvelles qui ne sont plus celles du monde rural. Un milieu abstrait remplace la diversité ou l'extrême variété des rapports entre les hommes de vie féodale. Ici, l'homme appartient d'abord à la cité, dont il porte le nom avant d'entendre les incitations d'une famille ou d'une dépendance. La violence est remplacée par la parole, la loi, la solidarité mutuelle, la domination du plus fort par la discussion sur la place publique, la rhétorique, la philosophie, la politique.

10    Tout cela caractérise l'établissement des villes — où

qu'elles apparaissent en Occident. Faut-il s'étonner que la rupture établie par ce mode de groupement et de vie collective ait eu des conséquences notables sur l'image de l'homme et les émotions communes? On a dit que l'histoire et le théâtre apparaissaient dans les villes. Et, de fait, seules les villes connaissent ce que nous appelons l'*esthétique dramatique.*

Il est cependant intéressant de constater que le contenu des représentations dramatiques grecques est toujours archaïque par rapport aux mœurs réelles de la cité : le moteur de *Prométhée* est une vengeance des dieux contre l'homme; le moteur des *Suppliantes* prend pour prétexte la charte mythique des dynasties doriennes; celui d'*Agamemnon* et des *Euménides* est la vendetta patriarcale dans ce qu'elle a de plus archaïque et de moins conforme aux lois qui régissent la vie des citoyens dans la ville. Le geste qu'accomplit Antigone dans la pièce de Sophocle appartient au système culturel de sociétés sans doute anciennes, mais l'accomplissement de ce geste, qui n'a plus qu'une valeur de symbole pour le Grec contemporain du dramaturge, suffit à reconstituer une situation tragique. D'ailleurs, la fin de l'*Orestie* est éclairante, puisque le poète libère Oreste du poids de la « vendetta » en le traînant aux pieds de la divinité de la ville, son incarnation (qui est aussi celle de la raison), Athéna, gardienne des lois communes.

L'intérêt est ici, dans cet affrontement d'un rituel archaïque et d'une loi moderne. Le spectateur athénien n'obéit plus aux lois de la « vendetta » ni aux lois du sang, et il suffit de relire les textes des grands avocats comme Lysias pour savoir ce qui occupait réellement l'existence publique du citoyen : le bornage, la vente d'oliviers, le droit de propriété. Mais le poète donne à voir sur la scène un personnage dont toutes les justifications s'apparentent au système culturel antérieur. La mythologie grecque n'est pas le terreau de l'art théâtral; celui-ci sert de repoussoir à une vie moderne qui ne se connaît pas encore. N'imaginons pas le dramaturge comme un conteur oriental. La sélection des thèmes utilisés est déjà éclairante, et non moins éclairant est l'attrait qu'exercent ces thèmes : la fille qui affirme sa liberté pour défendre un rite archaïque et démodé, le fils qui tue son père et devient l'amant de sa mère, le fils qui égorge sa mère pour venger un père; les instances que nous appelons *tragiques* renvoient, comme le disent certains psychiatres contemporains, à l'histoire de la famille grecque, à l'appartenance réelle de l'homme, dont les émotions, les croyances, les passions ne parviennent peut-être pas à trouver dans la cité la plénitude et l'expansion qu'elles avaient dans la famille ancestrale. Claude Lévi-Strauss croit devoir conclure d'une longue analyse anthropologique que l'homme paie très cher son développement technique et l'accu-mulation du savoir. L'homme grec, lorsqu'il « invente » le système de la ville, paie sans doute de sa détresse l'extraordinaire progrès qu'il accomplit. Peut-être lui fallait-il voir devant lui, mais symboliquement et comme d'avance sacrifié, l'image de l'homme ou de la femme d'autrefois pour chercher la route de son épanouissement individuel. Cela, la ville le rend possible, matrice d'émotions et d'anxiétés nouvelles : l'individualité ancienne est tourmentée publiquement, et sa plainte suscite le plus haut langage poétique que l'on connaisse avant les Temps modernes.

L'exiguïté des villes grecques était sans doute nécessaire à cet avènement du théâtre, puisqu'on voit que s'affaiblit la création dramatique au moment où Alexandre étend artificiellement les dimensions de la cité à celle d'un Empire. Extension que continue et affirme la domination romaine. Comme le dit Hegel, la comédie commence (comédie attique) lorsque l'esclave monte sur la scène. Ce n'est pas suffisant : Aristo-phane a porté très haut la dérision comique, mais il n'a jamais réduit ses thèmes au jeu des situations réelles, à celles d'un « socio-drame ». C'est ce que fait la comédie de Ménandre ou de ses équivalents. Ce n'est pas une diminution ni une décadence. C'est simplement autre chose : la ville oublie ou simplement efface tout ce qui n'est pas elle, son passé, son environnement, puisqu'elle est devenue elle-même un environnement, un empire. Le jeu des rôles sociaux la contente. Rome ne connaîtra pas d'autre théâtre.

À moins que l'on ne voie dans les jeux de cirque et les massacres de l'arène l'image renversée du théâtre tragique et comique : la romanité a détruit durant plusieurs siècles et d'une manière spectaculaire tous ses « déviants », tous ses hérétiques. L'ordre de l'État n'admet aucune divergence quant à la définition du citoyen et de l'ordre administratif. Au lion, l'individu coupable de transgression! Périsse celui qui trouble l'ordonnance calme de l'Empire! Il est possible que, passant de la Cité à l'Empire, la ville soit passée de la tragédie au massacre réel et sanglant...

## une dramaturgie éclatée

Le Moyen Âge n'est qu'un mot. Il définit en Europe, en Asie, en Islām un certain système de vie diversifié et riche en différences : on y retrouve les appartenances familiales patriarcales, les liens du sang, la domination d'homme à homme, les lois de la dépendance qui « obligent » le suzerain à défendre son vassal, les groupes religieux indépendants, les chaînes de relations mystiques ou politiques. Extrême multiplicité.

Faut-il s'étonner que l'on y rencontre des formes également très différentes de dramatisation? qu'aucune d'entre elles n'aboutit à une définition réelle de ce que nous appelons *théâtre* dans la mesure où elles sont dominées par de multiples réglementations. Les théâtralisations sacrées (« mystères », « sacramentales », « sacra rappresentazione », etc.), les jeux de

13

masques (« commedia dell'arte », « chars »...), les pièces savantes s'apparentent plus aux célébrations rituelles qu'au théâtre.

D'abord parce que le texte poétique ne joue pas son rôle dominateur. Sans doute parce que l'écriture ne soude pas la vie sociale comme il le fait dans les cités et ne permet pas cette accumulation abstraite du savoir et de la culture sans laquelle il n'existe pas de littérature. Les textes que nous connaissons des « mystères » ou de la « commedia dell'arte » (quand il y en a) sont des reconstitutions « après coup » par des clercs et n'ont jamais réellement précédé la représentation elle-même. La spontanéité qui s'impose ici (et qui n'est pas sans évoquer irrésistiblement une des plus fortes tendances du théâtre des dernières années) se manifeste dans le cadre étroit des codes religieux ou esthétiques, mais n'aboutit jamais ou presque jamais à un discours.

Ensuite, les œuvres présentées (telles que des chercheurs comme Gustave Cohen nous les ont restituées) répondent à des fonctions différentes entre elles : les drames sacrés suggèrent une image de l'homme qui trouve son égalité dans l'au-delà et devant la mort, alors que la vie est dominée par des hiérarchies sociales et une inégalité de fait; les jeux de masque proposent un ensemble de stéréotypes ou d'allégories qui ne débordent jamais le cadre étroit de vie immédiate; les pièces savantes reconstituent une Antiquité à jamais disparue et brodent autour de Sénèque une image nostalgique du « grand passé ».

On range d'ordinaire dans le théâtre la *Passion d'Arras,* attribuée à Marcadé, le *Mystère de la Passion* d'Arnoul Gréban, le *Mystère de l'Incarnation de Rouen* (pour ne parler que des « mystères » français), mais les personnages et les situations qui nous y sont présentés ne s'organisent pas du tout comme ceux du théâtre : on y donne spectacle du cosmos et de la marche de l'homme vers le salut, on y voit des saints ou des martyrs qui ne peuvent qu'être tentés sans jamais être pécheurs. La grâce intervient comme le seul moteur de l'action, et l'assomption du témoin du Christ constitue la trame de toute l'histoire.

Probablement est-il impossible de concevoir un « théâtre religieux » dans la mesure où la religion ne peut pas faire du Christ un pécheur ni du saint un être hypnotisé par la passion : la vérité de la foi interdit toute ambiguïté, et le manichéisme de la construction scénique (le paradis d'un côté, l'enfer de l'autre) ne permet aucune expression de l'angoisse. Ces « passions » interdisent la « passion », au sens moderne : elles incarnent la souffrance d'un homme marqué par la grâce et qui ne peut prendre d'autre route que celle du salut, route semée d'embûches et de souffrances; mais illuminée par la vraie connaissance.

Du moins, la fonction de ces représentations est-elle curieusement utopique : suggérant une véritable hypnose sacrée, une hallucination de l'arrière-monde, celles-ci affirment l'égalité de tous les hommes devant le Christ et devant la mort contre la réalité vivante d'une société inégalitaire et hiérarchisée. Comme les « danses de mort » le feront au XVIe s., elles postulent une certitude que dément l'évidence quotidienne. Ce sont des dramatisations qui échappent à l'Église constituée, qui s'apparentent aux données mystiques d'une société complexe et multiforme. Doit-on appeler *théâtre* cette image fantastique et parfois délirante d'un monde imaginaire? Les célébrations rituelles de l'Inde ou de la Malaisie sont plus intégrées à la vie collective et aux mythes constituant la structure des civilisations que ne le furent ces dramatisations utopiques...

Quant aux jeux de masques qui germent un peu partout à la même époque et que l'on nomme « commedia dell'arte », « défilés de chars », etc., leur complexité est plus grande qu'on ne le dit. On y voit, comme Lanson, l'origine de la comédie, mais ces

15

figurations sont à la fois plus complexes et plus enracinées dans la vie des sociétés de l'époque. Plus enracinées, parce qu'elles représentent sous la forme de stéréotypes mythologiques ou satiriques des rôles sociaux réels (le médecin, le matamore, etc.), le code et les classifications mentales communes à tous les habitants d'un même lieu. Plus complexes, parce qu'elles s'apparentent aux contes qui dérivent eux-mêmes des récits mythiques orientaux (bretons ou provençaux, si l'on s'en tient à la France). L'assimilation d'un homme vivant à un personnage figé dans sa raideur allégorique ou typique répond au même besoin de transformer la vie en marionnette. Entre la *commedia dell'arte* et les *Puppenspiele,* qui dominent l'expression de l'Europe centrale (parce qu'on y joue les contes paysans), une relation s'établit, qui nous renvoie à une réalité différente. La psychanalyse explique ce recours à l'humanité mécanisée et rapetissée par le ressentiment; la sociologie y voit une tentative d'intégration de rôles sociaux inacceptables ou rejetés. Du moins, cette parodie de l'existence est-elle un spectacle que la société se donne à elle-même, une célébration dérisoire de rôles inchangeables et sans doute inévitables. C'est l'impossibilité de modifier les structures d'ensembles de la vie qu'incarnent ces célébrations diverses.

Il faut aussi évoquer ces représentations chantées ou mimées qui décrivaient des épisodes d'un mythe le long des étapes des pèlerinages de Compostelle, soit sur le chemin d'Angleterre par Saint-Riquier et Paris, soit par Narbonne en venant d'Italie. Joseph Bédier (1864-1938) a montré qu'il s'agissait de scènes partielles, dont chacune était la spécialité d'un couvent de relais ou d'un gîte d'étape. On suivait l'histoire empruntée le plus souvent aux contes chevaleresques plus ou moins christianisés, tout en poursuivant la collective déambulation vers le lieu saint. Une rue de Paris conserve le souvenir d'une telle imagerie théâ-

16

trale : la rue de la Tombe-Issoire, où se trouvait, sur le chemin de Saint-Jacques (et dans le prolongement de la rue qui porte ce nom), un couvent dont la spécialité était de relater, de jouer ou de réciter un épisode des aventures d'une sorte de David chevaleresque qui abattait au combat («tombait») le géant Issoire. On connaît mal ces figurations, dont il reste peu de chose, mais il est vraisemblable qu'elles répondaient à la fois aux intenses, multiples et continuelles pérégrinations des gens du Moyen Âge, à la fascination exercée sur le peuple par les contes chevaleresques (bretons ou provençaux), à l'intense «besoin de voir», dont parle Johan Huizinga pour cette période. Là, non plus, il ne s'agit pas de théâtre...

Les pièces sacrées jouées dans les couvents sont écrites par des clercs. Elles s'inspirent de Plaute, puis de Térence, lorsque cet auteur est «découvert». Gian Giorgio Trissino (1478-1550), Giovanni Rucellai (1475-1525), Niccolo Alemanni (1583-1626) imitent ce qu'ils savent des Anciens non seulement pour édifier les écoliers des écoles, mais surtout pour reconstituer un monde mort. On donne à voir une Antiquité reconstituée et rêvée. On écrit une tragédie fantôme, dont le souvenir, à travers Norton et Sackville, hante Shakespeare comme il parvient aux «classiques français» à travers Buchanan et Muret dont Montaigne se souvient d'avoir joué les pièces latines au collège.

Il est vraisemblable que les couvents ont été les lieux fermés, les îlots dans lesquels des hommes qui lisaient les textes anciens qu'ils connaissaient tentaient de reconstituer une Antiquité perdue. Dans la diversité des formes de vie, l'unité romaine apparaît comme un rêve et comme un modèle. On en réveille les figures. On en retrouve presque magiquement les personnages. Mais il s'agit toujours d'un commentaire de l'action, d'une relation réthorique en marge de la situation, d'un discours savant où viennent se lamenter des héros...

Devant cette diversité, la prudence est nécessaire.    17

L'hallucination sacrée, le jeu des masques, les contes représentés, les tragédies fantômes inspirées de l'antique, tout cela se développe en ordre dispersé, parce que la dispersion est le principe même de cette civilisation qu'on a voulu, au temps du romantisme, réduire à l'unité religieuse. Certes, chacune de ces dramatisations voudrait s'imposer d'une manière absolue, mais la trame de la vie collective ne le permet guère. Et la vie de l'homme est comprimée entre les portes du paradis et celles de l'enfer, alors que l'extrême diversité des possibilités offertes paraît suggérer une promesse de liberté...

## une expérience déchirante

C'est avec l'établissement des régimes monarchiques centralisés, l'apparition des bourgeoisies et du capitalisme, l'organisation administrative des nations qu'apparaît de nouveau le théâtre. Cette apparition est contemporaine d'un changement radical dans les structures sociales et mentales, d'une coupure entre les époques dont les hommes vivants ont été les témoins et souvent les victimes. Sans doute, aucune autre civilisation au monde, hors la nôtre, n'a franchi à cette époque l'étape de développement technique et n'est entrée dans la révolution technique. Cela constitue probablement l'originalité de la civilisation européenne, mais explique aussi pour quelle raison une violente et généreuse expansion de tous les genres de création marque cette période de rupture entre deux mondes, entre deux systèmes de valeurs...

Sans doute, cette rupture n'apparaît-elle pas à une date précise. Seulement les hommes qui vivent et qui pensent éprouvent-ils une commune inquiétude devant la dissolution des formes de croyance ou de pensée ancienne, affrontant un monde absolument neuf et inconnu, une « modernité » devant laquelle ils ne jouissent d'aucun secours. La coupure entre la ville grecque et la campagne, entre le passé et le présent urbain avait déjà constitué un choc important, dont la création esthétique avait sans doute profité. La frontière entre le «Moyen Âge» et les «Temps modernes», entre l'«économie traditionnelle» et l'«économie de marché» a provoqué un traumatisme bien plus violent.

L'historien Jacob Burckhardt estimait que le travail d'analyse du passé changeait de sens au moment où le savant interrogeait une période de transition, comme il le fit lui-même pour le règne de Constantin ou pour la «Renaissance». Dans ces moments, l'homme n'est plus soumis aux règles accoutumées d'une civilisation établie. Parce qu'il est abandonné à sa spontanéité, il se détermine par une affirmation douloureuse de soi-même, un «individualisme» souffrant. Burckhardt, dans sa *Civilisation en Italie au temps de la Renaissance,* a donné de multiples exemples de ces affirmations exaspérées, et l'on ne peut regarder son étude comme un éloge de l'individualité «en soi», mais comme une analyse de cas aberrants ou déviants. La déviance résulte de la rupture elle-même et de l'absence de valeurs pour justifier le comportement des hommes, de modèles pour en animer l'action. L'individualisme de cette époque, loin de répondre à une satisfaisante affirmation de soi, un narcissisme esthétique, renvoie tout au contraire à une anxiété devant la vie à venir. Pour autant qu'il s'accroche encore aux idées de la période précédente, l'homme accède à une expérience déchirante, tragique.

Ceux qui font du théâtre un «reflet» de la vie quotidienne ou de la «société» (terme vague s'il en est!) oublient que les motivations esthétiques ne sont ni calmes ni sereines, que la représentation, l'exhibition d'un personnage imaginaire chargé d'émotions actuelles constituent une expérience tout à fait inquiétante. D'autant que ces personnalités imaginaires, empruntées ou non aux galeries de tableaux mythologiques ou historiques, correspondent toutes à des «cas», des formes de déviance, qu'il s'agit presque toujours de «faits de transgression» et des conséquences qu'ils provoquent sur le psychisme des individus.

On peut tracer le profil du personnage dramatique qui monte sur la scène espagnole, anglaise et française vers la fin du XVIe s. et au XVIIe s. Ce qu'on a appelé le *Siècle d'or,* l'époque «élisabéthaine» offre une surprenante galerie de criminels, d'assassins, de rois cruels, d'hérétiques. On dirait qu'ici la «libido» se manifeste à l'état sauvage, sous le voile de la poésie et de l'intensité lyrique : *Tamerlan* de Marlowe, *Richard III* de Shakespeare, *Macbeth, Arden de Feversham* sont des représentations de la violence à l'état pur, pour ne parler que du théâtre anglais. Et faut-il oublier les personnages de Rodogune, de Nicomède, d'Othon et, en général, des héros de la dernière partie de l'œuvre de Corneille, les figures de Néron, de Roxane, d'Hermione chez Racine?

Tout se passe comme si l'explosion théâtrale qui accompagne le passage de l'Europe traditionnelle à l'Europe moderne avait joué le rôle d'un banc d'essai pour une individualité malade d'elle-même, transposée sans doute par la poésie, noyée sous les déguisements mythologiques, chevaleresques, pseudo-historiques, mais affirmant cependant son inacceptable et incompréhensible «libido».

Les monarchies centralisatrices appuyées sur les bourgeoisies administratives, les «élites», les diverses unifications ou épurations du langage (Malherbe), les changements de mœurs, tout cela constitue le cadre dans lequel se manifeste cette surprenante expérience de la violence. Tous ces personnages sont condamnés, au terme d'une longue «corrida» dont la trame constitue la pièce elle-même, ses enchaînements, qui n'ont souvent de logique que l'idée que lui prêtent les commentateurs du siècle dernier. Destructeur et

20

créateur à la fois, ainsi nous apparaît l'acte théâtral de cette période, quel que soit le soin avec lequel le poète masque et habille la violence qu'il représente sur la scène.

Antonin Artaud, dans *le Théâtre et son double,* parle de ce « théâtre de la cruauté » qui agit directement sur les nerfs du spectateur en lui imposant une image de lui-même qu'il refuse généralement de voir ou d'admettre. L'art dramatique de cette époque de rupture, sous tous ses aspects et ses « faux-semblants », constitue probablement une telle expérience. Faut-il s'étonner que cet épanouissement ait peu duré, que toute cette vigueur se soit, en fin de compte, effacée dans la niaiserie du pastiche, le sentimentalisme appliqué des épigones, la raideur scolastique, qu'elle soit devenue *incompréhensible* durant près de deux siècles?

Sitôt que se constitue le système des institutions qui correspondent à ce que B. Groethuysen nomme l'« esprit bourgeois », le théâtre retrouve le calme de la littérature prosaïque : il devient une doctrine. Au XVIIIe s., il s'agit de représenter des idées sous le déguisement de l'esthétique « classique ». La faiblesse du théâtre de Voltaire ou de Diderot (bien que ce dernier ait pressenti des formes nouvelles) tient à ce qu'ils n'y trouvent plus l'esprit de violence et de contestation qui anime les grandes périodes créatrices.

Certes, il existe des mouvements intérieurs à la civilisation bourgeoise : on « redécouvre » Shakespeare ou Calderón à défaut d'arracher à Racine les bandelettes dans lesquelles l'histoire de la littérature le momifie. Voltaire, sans doute, voit dans Hamlet un « sauvage » et récrit une fin de la tragédie plus « raisonnable »! Mais Lessing, Goethe ou Schiller vont plus loin qui tentent de récupérer quelque chose de la violence et de la force passées. Ce sont des efforts saisissants, mais qui ne peuvent retrouver la puissance de ceux dont ils s'inspirent. Le « Sturm und Drang », le « prométhéisme » de Goethe ou de Byron restent intérieurs au langage littéraire. Ce sont d'admirables exercices de style.

## réalité tragique et mélodrame

Il faut bien reconnaître que le système mental de cette période a sécrété ses propres défenses contre les faits aberrants ou les personnalités déviantes. Le rationalisme rend la « raison » idéale et toute-puissante : elle rejette dans l'ombre la « sauvagerie », la « barbarie » et la « folie ». Michel Foucault a montré combien la dénomination de la maladie mentale avait été un moyen de la conjurer en l'éloignant, en l'enfermant. La littérature s'empare de la démesure violente, mais l'appelle *déraison,* la traite pour telle. L'élan qui l'emporte reste toujours mesuré à la connaissance des règles qui régissent le système tout entier.

Deux exemples nous sont fournis, tant par la Révolution française que par la répression exercée contre les formes hérétiques du théâtre. Dans l'un et l'autre cas, on constate que les éléments capables d'animer une création véritable ne sont plus admis au rang de la dignité esthétique.

C'est un lieu commun de rappeler, après Henri Focillon, que la Révolution française n'a point innové en matière esthétique et que le théâtre qu'on y présenta ne fut que le pâle reflet du plus médiocre théâtre du XVIII$^e$ s. Faut-il en conclure que la rupture politique provoquée par la Révolution de 93 était moins radicale que la rupture entraînée dans les profondeurs de la vie collective par l'apparition de l'économie moderne? C'est probable. Mais on peut aussi estimer que la Révolution, entraînant une animation violente de tous les rôles sociaux, une dramatisation intense de la vie quotidienne, constituait elle-même un acte de théâtre civique associant tous les groupes composant la société. Cette représentation réelle rendait inutile et fade toute autre tentative imaginaire. La tragédie révolutionnaire, qui trouve souvent son cinquième acte sur les marches de la guillotine, efface sans doute tout autre mode de création!

Plus singulier est l'étouffement des modes de création dramatique nouveaux. Et le premier de tous est sans doute le mélodrame, dont on connaît l'enracinement dans les groupes populaires, jusque-là étrangers à toute forme de culture. Louis Chevalier, dans *Classes laborieuses et classes dangereuses à Paris pendant la première moitié du XIX*e *siècle* (1950), a montré combien la vie urbaine a été transformée au début du XIX*e* s. par l'afflux d'une main-d'œuvre d'origine rurale, attirée dans la ville par l'industrialisation naissante; il a rappelé combien ces groupes installés dans de vieux quartiers désertés après la Révolution et l'Empire trouvaient dans certaines représentations violentes une certaine fascination. Dans la mesure où le mélodrame (« boulevard du Crime ») s'est développé, il a témoigné d'une sorte de rencontre entre le moteur essentiellement cruel du théâtre élisabéthain ou grec et des groupes étrangers à toute littérature. Faut-il rappeler que les présuppositions de l'art sont rarement artistiques? '

Du moins, le mélodrame a-t-il exercé une indiscutable attirance. Dumas et Hugo s'en approchent de bien près, mais ils ne dépassent pas le théâtre de la Porte-Saint-Martin! Ils appartiennent à l'institution littéraire et ne referont pas la démarche qui avait autrefois conduit Marlowe et peut-être Shakespeare jusqu'aux bas-fonds. Bien au contraire, ils s'en éloignent, non sans avoir pris à cette manifestation non littéraire une force qu'ils ont traduite dans l'idéologie « romantique ». Et le mélodrame trouve avec Frédérick Lemaître (1800-1876) et *l'Auberge des Adrets* sa mort dérisoire : parce qu'il sent qu'il ne peut faire admettre devant le public cultivé la naïve violence de ce mélodrame, le grand comédien décide (coup de génie,

23

dit-on) de jouer le personnage en parodie. C'en est fait du genre. Il continue certes et anime les théâtres des quartiers proches des portes de Paris, mais il a été enterré dans l'ombre du « mauvais goût » et de la « sauvagerie ».

## théâtre officiel et théâtre souterrain

Une autre répression efface de la littérature le puissant courant créateur qui anime Hölderlin, Kleist, Büchner, Lenz. Il est hautement significatif que l'Allemagne, qui a « rêvé » sa révolution à distance sans pouvoir l'accomplir, qui subit à ce moment une transformation analogue à celle que certains pays ont connue au XVIe s., ait vu germer des créations dramatiques d'une intensité comparable à celle des élisabéthaines et que ces créations aient été repoussées par la littérature instituée.

Faut-il rappeler que Goethe, à Weimar, repousse avec horreur les pièces de Kleist et de Lenz, qu'il nommait « le théâtre invisible » tissé « de flammes et d'ordures », parce qu'il ne répondait guère à son code esthétique... Que nul théâtre n'imagine de représenter *la Mort de Danton* (où passe l'accent du babouvisme) ni le *Woyzeck* de Büchner? que le rêve tragique de Hölderlin s'achève dans la déraison? C'est que l'image de l'homme proposée par Kleist, Büchner ou Lenz répondait mal à celle que l'ordre « bourgeois » imposait, qu'elle ouvrait une autre voie à la recherche dramatique. Ce n'est pas la nouveauté qui indignait chez ces dramaturges, mais leur « atypisme », le caractère négateur et réprobateur de leurs drames, la contestation qu'ils portaient de toute légitimité établie.

Pour ne prendre que le *Woyzeck* de Büchner, pièce à laquelle il convient d'apporter une attention particulière, il est frappant que le jeune dramaturge insuffle à son personnage, volontairement choisi en dehors de toute appartenance culturelle dans la nuit du sous-

24

prolétariat sans histoire, des passions jusque-là réservées à des princes ou à des rois. Même Shakespeare n'avait pas osé faire d'Othello un valet, mais Büchner le tente qui montre l'homme quelconque écrasé par la persécution des hommes installés dans un rôle (médecin, capitaine...), chargé d'une «passion» plus forte que lui et qui, pourtant, n'est autre que la «libido» commune à tous, la nature à l'état sauvage. Qu'il tue sa maîtresse, Marie, signifie plus que le meurtre de Desdémone par Shakespeare : il renvoie à un désir jusque-là dédaigné quand il est représenté chez un pauvre...

Derrière cette apparition de l'«homme sans qualité» vont paraître tous les personnages de Tchekhov (qui ne connaissait pas Büchner!), de Strindberg, de Lorca, de Valle Inclán, voire de Crommelynck. Le prince perd son statut de privilégié et de favori du désir ou du crime. Il est singulier que la médecine de cette époque ait appelé *hystérie* les manifestations de ce dérèglement et de cette transgression des codes établis.

Pourtant, ce théâtre-là reste obscur et souterrain. On ne reprendra Kleist dans toute sa force que bien plus tard, à la fin du siècle. Büchner sera découvert par le truchement d'Alban Berg et de la musique. Lenz n'arrivera à nous que dans les quinze dernières années. Le caractère atypique des personnages, l'ambiguïté des situations, la contestation des données respectables de la culture et de l'image de l'homme ne trouvent pas plus d'écho que le mélodrame, ni que le révolutionnaire Büchner n'en trouva auprès des paysans du Hesse-Darmstadt qu'il prétendit en vain soulever contre la tyrannie...

Pendant ce temps, le théâtre officiel, lui, poursuit sa route. Officiel, disons théâtre reconnu et objet de critique, institution établie sur le marché des spectacles, théâtre du Boulevard ou théâtre de mœurs, qui justifie la violente critique que Jacques Copeau porte contre lui dans le premier numéro de la *Nouvelle Revue française*. Mais, à vrai dire, l'accusation d'immoralité tombe quand on pense au développement de cette dramaturgie de Dumas fils à Émile Augier, d'Henry Bernstein à Georges de Porto-Riche et à Sacha Guitry, pour ne parler que des Français. Car l'ensemble des thèmes, des situations, des relations humaines représentés sur cette scène se réduit à un petit nombre de stéréotypes dont les combinaisons sont en nombre fini et qui répondent toutes à une attente du public cherchant dans la représentation dramatique une justification ou une sécurité. Comme le marché du théâtre implique l'intervention de critiques, d'imprésarios, d'une « élite » payante, d'une « mondanité », on peut dire que ce théâtre répond parfaitement à sa fonction de divertissement.

Contre lui, sans doute, se définissent tous les efforts de création, les tentatives de l'Œuvre, de la Volksbühne, de Strindberg, du théâtre de l'Abbaye en Irlande, de la « grande génération » espagnole, de l'« expressionnisme » allemand de Wedekind à Kaiser et à Brecht, de Stanislavski à Meyerhold. Mais déjà le problème change, et il s'agit d'examiner la situation de la création dramatique dans les sociétés industrielles...

## les conditions du jeu dramatique : la mise en scène

Il convient, sans doute, de revenir quelque peu en arrière et d'évoquer l'implantation de la « scène à l'italienne », née des spéculations de Brunelleschi et d'Alberti, et tendant à inclure la représentation de la personne humaine dans le cube clos d'un lieu fermé à perspective en profondeur. Cet illusionnisme théâtral, qui s'impose pour la première fois avec la représentation de *La Calandria* du cardinal Bibbiena (1470-1520) par Baldassare Peruzzi en 1514, à laquelle Vasari donne un sens symbolique, va s'imposer en Europe et détruire toutes les autres formes de construction théâtrale.

On peut dire qu'il a existé un accord entre le catholicisme, la monarchie centralisatrice, la littérature et le théâtre au moment où les grands architectes de théâtre (dont Niccolo Sabbatini reste le modèle avec son *Traité sur les machines de théâtre,* publié en 1637) vont organiser cet illusionnisme : l'opéra ou le ballet-féerie qui s'empare des thèmes chevaleresques dans une fantastique vision baroque dont R. Alewyn a décrit le dessein, la tragédie classique française où la perspective en profondeur est remplacée par la psychologie en profondeur, dimension cachée et suggérée par le langage allusif de la poésie dramatique.

L'intéressant est de noter que les pièces élisabéthaines ou les pièces espagnoles n'ont pas été conçues pour ce type de scène cubique, mais pour un plateau comparable à l'étendue des fresques, permettant la représentation simultanée des moments de l'action. Le regard du spectateur, au lieu d'être animé par la succession des étapes de l'action, découvre celles-ci globalement distribuées devant lui et, par cela même, relativisées. Aucune des pièces de Lope de Vega, de Shakespeare ou de Marlowe n'aurait pu être jouée sur une scène cubique « à l'italienne » (où, d'ailleurs, elles perdirent très vite leur sens). Corneille, qui, dans ses premières œuvres *(l'Illusion comique* ou *le Cid),* opte pour la scène polyvalente et simultanée, doit céder très vite à la dictature littéraire et politique de la scène à l'italienne.

Car on peut parler d'une implantation systématique, doctrinale et politique de la scène cubique à partir de la création de l'Académie française, des décisions de Richelieu et de la construction délibérée de scènes permettant l'illusionnisme psychologique ou féerique. La prise de pouvoir des puritains en Angleterre ferme les théâtres qui avaient vu les grandes manifestations de Shakespeare, de John Ford ou de Marlowe; leur défaite livre le théâtre anglais, avec le retour des rois catholiques, à la scène à l'italienne venue de France. Au XVIIIe s., personne ne discute plus : la scène cubique, avec son «huis clos», devient l'unique matrice dramatique.

Entre la scène élisabéthaine ou espagnole, plus ou moins tirée du plateau des «mystères», et la scène à l'italienne, l'Occident a hésité entre deux représentations de l'homme dans le cosmos : pour l'une, le centre du pouvoir, de la conscience de soi et de la représentation coïncide, et le centre de gravité des personnages se situe dans l'horizon lointain d'un «point focal» au-delà des apparences; pour l'autre, la vie se distribue à tous les niveaux de la réalité prise dans sa totalité et présentée comme telle, sans que le temps puisse disposer d'un privilège particulier vis-à-vis de l'espace. La victoire de la scène à l'italienne ne veut pas dire que l'Occident ait choisi la formule la plus conforme à sa propre vision du monde, du moins celle qu'impliquaient l'économie de marché et l'expansion technique. Mais ici, comme le pensait P. Francastel, la morphologie contrôlée par le pouvoir d'État commande à la représentation de l'homme — fût-elle artificielle...

À la fin du XIXe s., la technologie entraîne un changement qui provoque peu à peu la disparition de la scène à l'italienne ou, du moins, du privilège exclusif dont elle dispose : le duc de Saxe-Meiningen et son régisseur Ludwig Chroneck, utilisant pour la première fois toutes les ressources de l'électricité, construisent une étendue scénique aux aspects multiples, plus proche de ce que pouvait être la scène élisabéthaine ou espagnole que de la scène à l'italienne. S'ils rendent à Kleist un sens que son temps ne lui avait pas accordé, c'est par la transposition du *Prince de Hombourg* dans l'étendue construite par le jeu des projecteurs électriques. S'ils éveillent les vocations d'Antoine et de Stanislavski, c'est qu'ils redonnent au théâtre des possibilités qui avaient été étouffées par l'«enfermement» de la scène à l'italienne.

Cette transformation radicale des infrastructures du théâtre livre la représentation à un personnage nouveau, un créateur esthétique dont le rôle était effacé ou médiocre : le metteur en scène.

On peut aller jusqu'à dire, comme le fait Jean Vilar dans *la Tradition théâtrale,* que le metteur en scène est le seul véritable créateur dramatique des Temps modernes, puisque le jeu technique de la représentation fait du spectacle qu'il propose un ensemble dont le texte n'est plus le support essentiel. Certes, les conséquences de cette novation étaient contenues dans les découvertes de Meiningen, mais ni celui-ci, ni Antoine, ni Copeau, ni Stanislavski ne les eussent admises complètement. Seuls Craig ou Reinhardt et, plus tard, Meyerhold ou Jessner tirèrent de cette leçon toutes les conséquences. On en vint même, avec Piscator et la plupart des metteurs en scène contemporains — Brook, Planchon, Grotowski, Chereau —, à reconstituer l'œuvre passée selon la signification qu'on prétend lui donner aujourd'hui ou même à concevoir, comme Mnouchkine ou Armand Gatti, une création littéraire dans le cadre d'une construction scénique préalable. Le metteur en scène, technocrate du théâtre, est devenu le seul responsable du spectacle.

Il est toutefois frappant de constater que le mouvement d'invention dramatique dans les sociétés industrielles n'a pas suivi les découvertes techniques, qu'il s'est même opposé à elles dans une certaine mesure. La suite des créations dramatiques qui, de Synge et de Lorca, de Strindberg et de Pirandello, conduit à Ionesco, à Beckett, à Jean Vauthier, à Adamov ou à Genet paraît ignorer cette vision technique du spectacle. Tout se passe comme si la dramaturgie s'intériorisait, même chez Sartre dans *Huis clos,* dans les premières pièces d'Anouilh et dans les recherches d'O'Neill, tandis que la volonté délibérée de Brecht pour construire un « anti-théâtre » dominé par des préoccupations pédagogiques et politiques peut, elle aussi, être considérée comme un effort pour ramener la création dramatique à sa littéralité.

## une réduction de l'homme

Quelque chose s'est passé dans le théâtre depuis la dernière guerre, qui a transformé cet art plus rapidement qu'il n'avait évolué durant les décennies précédentes : alors que les créateurs exploraient dans la parodie les mythologies classiques ou les allégories symboliques, comme Giraudoux ou Cocteau, que l'analyse psychologique attirait comme un jeu, un mouvement se déclenchait, qui allait conduire à une simplification de la situation, à une réduction de l'homme à ses « minima » excluant toute psychologie des profondeurs. Et cette intériorisation n'allait point dans le sens de la technologie dramatique du metteur en scène de l'époque industrielle.

Le seul, peut-être, qui ait pris au sérieux cette extension de la scène, qui ait tenté de suggérer une image comique de l'homme dans un langage poétique et dans la plus grande extension du plateau est sans doute Claudel : *le Soulier de satin* ou *Protée* (pour prendre deux extrêmes) suggèrent une vision que n'eût pas démenti l'inspiration baroque de Calderón ou des Espagnols du Siècle d'or. C'est que Claudel veut trouver au théâtre le lieu propre à une immense investigation religieuse ou mystique : il veut incarner l'affrontement de la grâce et du mal à tous les niveaux du monde. Son archaïsme le sert au moment où les autres dramaturges ramènent l'homme à sa littéralité triviale, à ses exigences sommaires et insurmontables. Comme le Woyzeck de Büchner, les personnages de Beckett ou d'Adamov stagnent volontairement à la hauteur de cet « homme sans qualité », de ce « sous-homme » névrosé ou mutilé qui représente la situation de l'être vivant dans la société industrielle.

Sans doute, après tout, dira-t-on que Jean Genet, comme Claudel, dont il paraît souvent une version négative, retrouve toute l'ampleur de la vision dramatique la plus élargie. Mais le contenu de ses pièces et l'esprit qui les domine s'oppose à cette extension : le « huis clos » ne s'élargit dans *le Balcon* ou *les Paravents* que pour mieux rendre dérisoire la prétention de l'homme à se donner pour un individu : le « faux-semblant » joue comme un miroir à refléter des actions inutiles ou sordides, puisque l'homme ne peut sortir de son écrasement. Cette dramaturgie implique une représentation qui intériorise les effets sans jamais les traiter pour eux-mêmes. Roger Blin a trouvé pour ces œuvres la concentration scénique qu'elles impliquent.

Cette intériorisation, si contraire à l'expansion suggérée par les techniques de la mise en scène, va plus loin encore — jusqu'à la destruction du langage dramatique lui-même. Le mouvement qu'on a appelé le *nouveau théâtre*, autour des années 50, avec Ionesco ou Vauthier, a porté l'action corrosive de la dérision contestatrice jusque dans le discours poétique, et cela au moment où Barrault ou Vilar, sur toute l'étendue de leur théâtre et grâce à l'utilisation systématique des techniques de mise en scène, redonnent à un public le sens des œuvres anciennes, généralement discréditées par leur représentation sur la scène à l'italienne. Ce n'est pas une des moindres contradictions du théâtre dans la société industrielle...

### représentation ou manifestation ?

Il est frappant que ces changements correspondent aussi à des variations dans le public. On peut dire, en effet, que le public de théâtre n'avait guère varié depuis le XVIIᵉ s. et ressortissait à ce que Pierre

Bourdieu et Jean-Claude Passeron ont nommé les « héritiers », c'est-à-dire des privilégiés de la culture. À la fin du siècle dernier avec la Volksbühne en Allemagne, plus tard avec le T. N. P. en France et le théâtre soviétique, des couches jusque-là étrangères à la culture sont entrées dans les salles. L'idéologie du « front populaire », des associations comme « Travail et culture », des « maisons de la culture » tend à faire de la représentation dramatique un « musée imaginaire » des grandes œuvres « humaines ». Mais il s'agit d'une simple extension du public des « héritiers ». Il est vraisemblable que l'importance prise par le cinéma et la télévision a modifié non seulement l'image du théâtre, mais surtout le besoin sur lequel il reposait. Par un singulier paradoxe, au moment où la mise en scène permettait de suggérer une image dramatique qui pût rivaliser avec celle du cinéma et redonner un caractère épique aux œuvres tragiques ou comiques, de nouveaux publics qui contestaient l'idée même de la culture classique exigeaient du théâtre qu'il ne fût plus le théâtre...

Les tentatives du « Living Theatre » ou du « Bread and Puppet », du « happening » suédois ou anglo-saxon, de Luca Ronconi, des auteurs du *Regard du sourd* ne vont plus dans le sens de la création dramatique du « nouveau théâtre » des années 50 et pas davantage dans celui de la technologie de la mise en scène. Il s'agit d'une « nouvelle donne » qui déborde la création dramatique et qui, pour tout dire, se rattache plus directement à la théorie de la fête telle que l'avait proposée Rousseau qu'à la recherche proprement dramatique : associer le public à la création, éliminer l'individualité isolée et souffrante, présenter l'événement ou célébrer un acte public.

Si l'on s'interroge sur le théâtre dans les sociétés modernes, on ne peut oublier la grande intuition de Rousseau, qui opposait à la représentation dramatique la manifestation publique, où tout homme devenait acteur dans une célébration dont le groupe tout entier était le support et le prétexte. Dans sa réponse à d'Alembert célébrant l'universalité de l'art dramatique et reprenant la plupart des arguments de Bossuet ou des prédicateurs protestants contre la comédie et le théâtre, Rousseau pensait qu'on devait demander à cet événement privilégié que constitue la fête collective ce que le théâtre ne donnait jamais, la participation de tous à une invention commune.

Il est vraisemblable que Rousseau ne pensait guère aux conséquences de ses idées et que les animateurs contemporains n'ont jamais lu Rousseau. Il n'empêche que nous retrouvons ici une préoccupation commune, très contraire à ce que nous avons décrit sous la forme du théâtre. Il est possible que cette contestation nous conduise à admettre que le puissant courant d'invention dramatique qui commence aux Grecs et qui s'achève avec Beckett ou Genet se réduit à la représentation d'une maladie de l'Europe incapable d'adapter sa vie aux exigences du mouvement de la technique ou de l'économie. Il est possible que nous puissions voir dans l'ensemble des œuvres dramatiques européennes l'image d'une névrose collective, et il n'est pas indifférent de rappeler que la psychanalyse s'est, dès son origine, emparée du vocabulaire dramatique et de l'un de ses thèmes fondamentaux, le mythe d'Œdipe. Il est possible aussi que surgisse un dramaturge de génie...

Du moins, l'existence du théâtre occidental, tel qu'il a été et tel qu'il est encore, ouvre une réflexion infinie dans la mesure où il a été, dans ses manifestations les plus significatives, une protestation contre l'ordre établi et une contestation, transmise à travers une individualité et un discours poétique, de la situation de l'être vivant dans sa culture. On parle volontiers d'« anticulture », mais le théâtre a été lui-même un fait d'anticulture par lequel les hommes ont fait l'expérience esthétique de leur liberté.

33

# 2. La mise en scène

*par André Veinstein*

Le terme de *mise en scène* a deux sens distincts : il désigne, d'une part, l'ensemble des moyens d'expression scénique (jeu des acteurs, costumes, décor ou dispositif, musique, éclairage, mobilier); il désigne, d'autre part, la fonction consistant dans l'élaboration et l'agencement spatial et temporel de ces moyens d'expression en vue de l'interprétation d'une œuvre dramatique ou d'un thème.

En France, comme en Angleterre et en Allemagne pour ses équivalents, le terme de *mise en scène* est récent, puisqu'il date de la première moitié du XIXe s. Cette remarque nous fait saisir d'emblée la particularité de la mise en scène : considérée comme l'ensemble des moyens d'expression scénique ou comme l'emploi de ces moyens, elle semble bien ne prendre conscience d'elle-même, de ses pouvoirs artistiques, qu'au cours de la première moitié du XIXe s. Mais cette prise de conscience devient particulièrement forte à partir de la dernière décennie du siècle dernier. Sous l'impulsion d'un petit nombre d'artistes, qui se trouvent remplir, précisément, la fonction de metteurs en scène, elle est liée en effet en Europe, puis dans le monde, à la naissance et au développement d'un mouvement de réforme dont l'objet est de redonner au théâtre la place qu'il avait perdue parmi les différents arts.

Cette réforme du théâtre tout entier à partir de la mise en scène laisse supposer qu'en ce qui concerne précisément la mise en scène, cette période sera, de toute l'histoire du théâtre, la plus riche en faits et en idées.

Schématiquement, il est possible de distinguer au cours des quatre-vingts dernières années plusieurs périodes.

De 1887 à 1935 se déroule une période d'étude, de recherche et d'expérimentation. Le Français André Antoine, qui fonde précisément en 1887 le Théâtre-Libre, emploie, le premier, le terme de *laboratoire* pour désigner son entreprise, et ce terme ainsi que ceux de *théâtre d'essai* et de *théâtre-école* seront repris fréquemment par la suite. Méditation en marge de la pratique ou travaux entrepris par de petits groupes en rupture avec la production courante : les fondateurs de troupes semblent avoir la hantise de l'étude et de la recherche, le souci d'une redécouverte du théâtre tout entier.

La plupart des troupes ainsi créées par un directeur-metteur en scène sont destinées à constituer des équipes stables, jouissant d'une indépendance financière et artistique complète.

Au cours des vingt-cinq années qui suivent (1926-1939; 1945-1955), on assiste à une exploitation éclectique des principes pratiques ou théoriques, qui ont été précisés : extension du répertoire (œuvres classiques et étrangères); création de mesures destinées à amener au théâtre, devenu fréquemment le foyer principal d'une animation culturelle, un public de plus en plus étendu; engagement de metteurs en scène issus du théâtre de recherche, tant par des théâtres nationaux que par des théâtres appartenant au circuit commercial.

Au cours des dix années qui suivent (1956-1965), ce mouvement s'étend : création de théâtres populaires à la suite de l'impulsion décisive donnée par Jean Vilar

(1912-1971) à la tête du Théâtre national populaire et de sa lutte en faveur d'un « théâtre service public », de théâtres ambulants, de troupes régionales, de théâtres édifiés à la périphérie des villes. Mais ces entreprises subissent un demi-échec, compte tenu du faible indice de fréquentation d'un public appartenant aux couches les plus populaires, alors que cet effort lui était principalement destiné.

D'autre part, le metteur en scène doit compter avec une génération de jeunes auteurs qui s'affirment comme de véritables hommes de théâtre, prévoyant, par leur écriture même, les principes essentiels de la traduction scénique de leurs œuvres.

Mais, à partir de 1965, tout en conservant, dans l'ensemble, leurs prérogatives, les metteurs en scène vont se trouver en butte à trois menaces : la prise en main par les auteurs de la direction scénique; l'arrivée d'un nouveau venu, le scénographe — technicien des moyens scéniques, issu de la décoration théâtrale, il tendra à supplanter le metteur en scène, à l'occasion, dans des spectacles conçus et réalisés par *lui seul;* enfin la fondation de troupes — dont les membres, fréquemment issus du théâtre universitaire, rejettent toute autorité : auteur, vedette, metteur en scène — soucieuses, par une créativité enfin libérée, fondée le plus souvent sur une communauté d'aspirations sociales et idéologiques, de faire du texte et de la mise en scène une création collective.

La production dramatique et les réflexions qui se manifestent en marge de cette production au cours des quatre-vingts dernières années peuvent faire l'objet des observations suivantes.

Ainsi que nous l'avons déjà remarqué, l'un des apports les plus importants des metteurs en scène a été l'intense effort d'élucidation qu'ils ont fourni. Cet effort, attesté par la publication d'ouvrages, d'articles, de périodiques, a consisté tout d'abord à préciser les causes de la crise du théâtre. Ces causes se trouvent très clairement énoncées par Antoine dès 1887 dans les opuscules rédigés par lui et intitulés *Théâtre libre;* par Lugné-Poe dès 1893 dans *l'Œuvre,* revue publiée par le théâtre de l'Œuvre, dont il fut l'un des fondateurs; par Edward Gordon Craig à partir de 1908 dans sa revue *The Mask;* par Jacques Copeau encore en 1920 et en 1921 dans les *Cahiers du Vieux-Colombier,* et par bien d'autres encore. Selon ces réformateurs, les théâtres sont des entreprises exclusivement ou presque exclusivement commerciales. Les vedettes exercent une véritable tyrannie au détriment de l'ensemble; le public ne considère plus le théâtre que comme un divertissement de second ordre.

L'apport théorique des metteurs en scène a permis de préciser les moyens de réhabiliter le théâtre et de lui redonner le prestige et le rayonnement d'un grand art : rupture avec les hommes d'argent; restauration du théâtre dans son autonomie et dans son unité, tel qu'il se manifestait aux grandes époques. Ces préoccupations apparaissent comme prédominantes même chez les metteurs en scène les plus révolutionnaires : il ne s'agit pas, pour la plupart d'entre eux, d'innover pour innover, mais de retrouver les bases solides de l'art dramatique des grandes époques et c'est chez Jacques Copeau que ce motif de réforme se trouve particulièrement bien formulé. Il écrit en 1921 : « Il n'est pas de renouvellement durable qui ne se rattache à la tradition continuée ou retrouvée, point de révolution même qui n'aille jeter ses racines dans les secrets les plus éloignés d'une tradition qu'on croyait morte. »

Ces principes se nuancent et se précisent avec les metteurs en scène des générations postérieures.

Un Charles Dullin, un Harley Granville-Barker, un Tyrone Guthrie ou un Peter Brook invoqueront la farce grecque et le théâtre élisabéthain; un Louis Jouvet, les XVI$^e$ et XVII$^e$ s. français et italiens; un Gaston Baty, le théâtre grec, les mystères du Moyen Âge, le théâtre de la Foire; un Artaud, certaines formes de théâtre oriental, qui constituera également une source d'inspiration pour un Brecht ou un Bob Wilson. L'improvisation constituera la base de travail du jeune théâtre attaché à la création collective.

Les techniques de certaines formes de marionnettes orientales ou des poupées-mannequins des défilés populaires ou des carnavals, réapparaîtront, sous forme de marionnettes géantes au cours des représentations données par les troupes d'Agit-Prop (Agitation-Propagande) ou de théâtre de rue.

À ces principes s'ajouteront le désir de former des acteurs et des techniciens, celui d'éduquer un public après l'avoir constitué et informé, de l'étendre à toutes les catégories sociales, de faire du théâtre le foyer vivant d'une entreprise d'animation culturelle, de réformer les conditions de la représentation, le jeu, le décor, l'architecture. Adhésion aux grands enseignements du passé, mais libération des contraintes et des conventions attachées aux lieux, à l'impérialisme propre à la littérature dans le théâtre occidental, aux « systèmes » de formation professionnelle et de travail, aux fausses oppositions nées de la distinction stérile opérée entre créateurs et exécutants, aux conceptions privilégiant la recherche formaliste au détriment de la communication des idées et de la présentation objective des faits et des éléments d'information ou de leur interprétation critique (théâtre politique, « théâtre document »), tels sont, dans l'ensemble, les motifs et les moyens de renouvellement mis en œuvre.

En même temps que s'instaure la souveraineté du metteur en scène sur l'ensemble de l'activité dramatique — choix de la pièce et élaboration de son interprétation — naît l'un des conflits les plus extraordinaires que l'art ait connus : le bien-fondé de la position prédominante prise par le metteur en scène est contesté, ainsi que la légitimité artistique de sa fonction, et cela d'autant plus que la mise en scène apparaît à certains comme une activité nouvelle et le metteur en scène comme un nouveau venu. Vue contredite par une information historique objective qui ne s'est développée, il est vrai, qu'au cours des vingt dernières années.

L'examen des polémiques qui marquent un conflit nullement dépassé échappe, en tant que tel, à la présente étude, mais il explique fréquemment les conceptions et même les réalisations des metteurs en scène modernes. Cette remarque gagne à rester présente à l'esprit du lecteur de l'exposé qui suit.

## André Antoine (1858-1943) réforme et naturalisme

Si l'on considère les principes de renouvellement qui ont animé, partout dans le monde, les hommes de théâtre des vingt dernières années, on constate qu'ils ont été pour la plupart formulés et appliqués par André Antoine au cours des neuf années de production qui marquent l'existence du Théâtre-Libre, fondé en 1887. Ces principes — dont certains ont été précédemment évoqués — se réfèrent à deux ordres de préoccupations : l'un, en opposition avec la pratique théâtrale contemporaine, concerne les conditions d'organisation du travail et la gestion de l'entreprise; l'autre a trait à la matière même présentée et à la forme de traduction scénique adoptée.

Sur le premier apport, l'adhésion sera et restera totale, alors que, sur le second — après avoir déclenché un peu partout dans le monde la création de théâtres libres —, une vive réaction d'opposition se manifestera jusqu'au retour à une certaine forme de réalisme, qui apparaîtra plus particulièrement avec l'œuvre et les conceptions de Bertolt Brecht et se poursuivra avec ceux qui, à partir des années 60, ont été influencés par le grand homme de théâtre allemand.

40      Résumons les principaux griefs énoncés par Antoine

à l'encontre de la pratique théâtrale de son époque : préoccupations abusivement commerciales des directeurs de théâtre; influences occultes exercées sur les établissements subventionnés; respect aveugle des fausses traditions; accaparement du théâtre par un même petit groupe d'auteurs; tyrannie exercée par les vedettes au préjudice du principe artistique fondamental d'unité et d'harmonie; fausses conventions entravant tout effort de création.

Or, estime Antoine, cette unité, cette discipline ne peuvent être atteintes que par un véritable homme de théâtre, capable de choisir textes et collaborateurs, de diriger le travail artistique et d'assurer, pour y parvenir pleinement, la responsabilité administrative et financière de l'entreprise. Si, en dépit de l'assertion d'Antoine lui-même selon laquelle le metteur en scène est né avec lui, s'instaure avec lui, en faveur d'un profond renouvellement artistique du théâtre, le règne du metteur en scène.

Les remèdes préconisés par Antoine consisteront, tout d'abord, à mettre l'entreprise, de par son statut juridique même, à l'abri des risques liés aux formes juridiques de constitution généralement employées : l'association, la participation, la société coopérative pourront y être substituées. Autres remèdes : donner comme premier objectif à l'entreprise la recherche, l'expérimentation; découvrir des auteurs nouveaux, nationaux ou étrangers, anciens ou contemporains; substituer aux monstres sacrés des «talents moyens, dociles...»; substituer aux salles existantes des édifices dans lesquels l'œuvre serait reçue par tous dans de bonnes conditions visuelles et auditives; constituer enfin un public et l'intégrer moralement dans l'entreprise.

Le second ordre de préoccupations d'Antoine est d'ouvrir le théâtre au mouvement littéraire naturaliste, qui s'impose avec force à partir de l'œuvre d'Émile Zola et s'étend à la peinture et à la sculpture. Mais,

41

pour Antoine, il s'agit moins d'une adhésion à un style que d'une orientation nouvelle dans le choix des thèmes et dans les raisons profondes du travail de l'artiste et de ses rapports avec le public. L'ouvrage publié par Zola en 1881 sous le titre *le Naturalisme au théâtre* offre à Antoine le manifeste même du théâtre naturaliste. Zola préconise de « mettre devant le spectateur toute une époque debout avec son air particulier, ses mœurs, sa civilisation ». Il estime que l'« esprit de logique et de science qui transforme en ce moment le corps social tout entier » doit également « transformer le théâtre ».

Antoine évoquera à son tour les cinquante années de romantisme, de lyrisme et d'exaltation poétique enfantine qui ont précédé le désastre de 1870. Les fables optimistes dont les artistes avaient nourri l'insouciance de leurs aînés devaient faire place « à la vie », à ce besoin irrésistible de nouveau, d'enquête, de documentation pour « créer », « de regarder au lieu d'imaginer, d'observer la vie autour de soi au lieu d'en inventer. Un nouveau et émouvant théâtre se dessine enfin : la pièce sociale... ». « Par théâtre social, précisera Antoine, nous n'entendons point seulement le théâtre politique (le champ serait vite parcouru), mais l'étude de toutes les questions multiples qui agitent les sociétés modernes [...]. Les modestes contes de paysans, de soldats, d'ouvriers, de prostituées [...] correspondent tous chez nous à un problème social, à une tare, à un abus, à une iniquité. » Ainsi, « le théâtre revient à son point de départ, à sa fonction essentielle, à sa tradition glorieuse. Il cesse d'être uniquement un endroit de distraction et de plaisir, presque le mauvais lieu qu'il a failli devenir chez nous avec le vaudeville et l'opérette. Il redevient un moyen d'enseignement, la tribune, la chaire retentissante où se débattent les éternelles vérités. »

« Théâtre d'une époque scientifique », c'est-à-dire théâtre où les méthodes scientifiques d'approche de la réalité seraient partie intégrante du spectacle, théâtre qui met à l'épreuve toutes les méthodes, théâtre de discipline et de critique sociale, le théâtre de Brecht, à travers les définitions qu'en a données Bernard Dort, retrouve singulièrement les buts qu'Antoine assignait au théâtre au début de sa carrière.

Découvreur d'auteurs français et étrangers (en neuf années, il monta 124 œuvres nouvelles), dont soixante-neuf auteurs débutants (Eugène Brieux, François de Curel, Courteline, Tolstoï, Tourgueniev, Ibsen, Hauptmann, Strindberg, Bjørnson), Antoine s'attacha à apporter une traduction scénique, simple, fraîche, directe, équilibrée, non conventionnelle — contrastant avec les surcharges décoratives, l'abus des toiles peintes illusionnistes de la production théâtrale contemporaine. Après quelques premières présentations agressivement réalistes : les quartiers de viande sur scène des *Bouchers,* les poules picorant dans la salle de ferme de *la Terre* d'après Zola, il s'évada assez vite d'un réalisme étroit auquel, cependant, son nom est resté abusivement attaché.

## la réaction antinaturaliste

La réaction antinaturaliste est marquée par la fondation du théâtre d'Art du poète français Paul Fort (1872-1960) en 1890, bientôt suivie de celle du théâtre de l'Œuvre en 1893 et, par les publications et les expositions des œuvres des deux grands artistes théoriciens de la réforme, le Suisse Adolphe Appia et l'Anglais Edward Gordon Craig.

### Le théâtre d'Art (1890-1892).

Le premier spectacle est présenté sous le nom de *théâtre mixte* le 24 juin 1890.

À cette occasion, Rachilde écrivait : le théâtre d'Art, essentiel théâtre des poètes, est «un instrument de lutte de l'idéalisme contre le naturalisme». Caractérisant le Théâtre-Libre, elle invoquait encore « la cuvette, les accouchements et les avortements publics ».

L'ambition du théâtre d'Art était de révéler « toutes les pièces injouées et injouables et les grandes épopées depuis le Rāmāyana jusqu'à la Bible, des dialogues de Platon à ceux de Renan, de la *Tempête* à *Axel,* de Marlowe au drame chinois, d'Eschyle au père éternel » (Camille Mauclair).

Le théâtre d'Art devait être, selon Édouard Schuré, « le temple de l'idée, le foyer ardent de l'âme consciente, libre et créatrice », l'instrument consacré à la « gloire du verbe ».

D'où une conception de la mise en scène très inspirée de cette idée de respecter cette prééminence absolue du verbe. Dans cette perspective, il est significatif de reprendre l'argument de la mise en scène que Pierre Quillard a rédigé pour sa pièce *la Fille aux mains coupées :* « L'ordonnance scénique de ce poème est pour laisser toute sa valeur à la parole lyrique, empruntant seule le précieux instrument de la voix humaine qui vit à la fois dans l'âme de plusieurs auditeurs assemblés, négligeant l'imparfait leurre des décors et autres procédés matériels. Utiles quand on veut traduire par une imitation fidèle la vie contemporaine, ils seraient impuissants dans les œuvres de rêve, c'est-à-dire de réelle vérité. »

Placée, pour une part, sous l'influence de Wagner, la doctrine du théâtre d'Art consiste à considérer le théâtre comme constitué d'entités philosophiques et animé de personnages surhumains.

Or, malgré leurs proclamations et les caractères généraux de leur répertoire, les auteurs et animateurs du théâtre idéaliste ont, de façon assez paradoxale, effectué des recherches extrêmement poussées en vue de réaliser un décor émotif, « symphonique à l'action ».

Une simple lecture du « Bateau ivre » de Rimbaud a lieu devant un paravent, mais celui-ci a été peint par

Paul Ranson. Les auteurs prévoient fréquemment eux-mêmes d'originales expériences de mise en scène. Dans *Madame la Mort,* «drame cérébral», Rachilde prévoit que le deuxième tableau se passe dans le cerveau d'un homme agonisant. *Le Cantique des cantiques* de Salomon doit être une «symphonie d'amour spirituel en huit devises mystiques et trois paraphrases». Chaque devise comporte, transcrite en tête du texte, l'une de ces fameuses orchestrations dont le verbe, la musique, la couleur, les parfums constituaient les différentes parties. Saint-Pol Roux envisageait, pour un de ses drames, l'utilisation des ressources du cinéma : notons que le théâtre d'Art se trouvait tout naturellement conduit à ces essais par les relations qui existaient entre ses animateurs et des artistes appartenant à d'autres disciplines artistiques.

En outre, l'une des premières préoccupations de Paul Fort fut de faire du théâtre d'Art un véritable foyer de toutes les manifestations artistiques, symbolistes et impressionnistes : lectures de poèmes, projets d'expositions de peinture, de sculpture, d'architecture, auditions de musique, publications dans *le Théâtre d'art* de textes littéraires, d'essais ainsi que de reproductions d'œuvres picturales (Manet, Sérusier, Gauguin, Ranson, Maurice Denis, Vuillard, Roussel, Bonnard, Van Gogh, Daumier, Redon).

Avec ses modestes moyens, le théâtre d'Art tendait à devenir ce foyer de création que les théâtres d'intérêt artistique devinrent pour la plupart.

D'autres théâtres furent fondés dans le même esprit : le théâtre de Rose-Croix de Joséphin Peladan (1859-1918) qui anime également les théâtres antiques de Nîmes et d'Orange; le théâtre des poètes de Charles Léger; le théâtre idéaliste de Carlos Larronde (1888-1940).

## L'*Œuvre (1893-1930).*

À l'extraordinaire vitalité artistique attestée par les    45 programmes de l'Œuvre de 1893 à 1930, à l'intense « curiosité esthétique » dont témoignent les quatre-vingt-dix numéros de la revue *l'Œuvre,* publiée par le théâtre, correspond une pauvreté véritable des conceptions artistiques formulées.

Relevons cette proclamation parue dans la revue *l'Œuvre :* « Les écoles n'existent pas pour ceux qui gardent le précieux don de la curiosité de tout. Nous n'avons jamais appartenu à aucun groupe littéraire; nous devons être plus libérés encore demain qu'aujourd'hui. » Camille Mauclair écrit en février 1921 : « Tous les tons, tous les styles étaient admis. »

Mais cette adhésion au principe de la liberté artistique la plus complète n'empêche que la fondation de l'Œuvre a pour cause le désir de créer un « nouveau théâtre idéaliste ».

Le théâtre apparaîtra d'abord à certains des collaborateurs de la revue tout au moins comme un *genre littéraire.* « C'est, dira l'un d'eux, la forme vivante de l'art littéraire. » Un autre ne craindra pas d'avancer : « L'art littéraire et, par conséquent, théâtral. »

Conséquences de cette conception en ce qui touche la mise en scène : souci prédominant de la mise en valeur du texte, préjugé contre les moyens matériels du théâtre, décoration réduite. Et cela jusque vers 1911.

Puis, sous l'effet d'un jeu d'influences directes (démonstrations des troupes étrangères, allemandes, italiennes, faisant apparaître les ressources de la décoration, de l'éclairage, du jeu), la publication dans la revue d'articles concernant le théâtre étranger, l'accueil le plus large accordé aux peintres et la tentation (après l'influence indirecte des Ballets russes) de suivre l'exemple du théâtre d'Art, en faisant travailler les peintres pour le théâtre, aboutiront finalement en 1924 à cette déclaration publiée dans la revue : « Sans enlever à l'auteur la prépondérance créatrice [il semble] plus que jamais indispensable à la pleine expression de son œuvre la collaboration intelligente des interprètes et du metteur en scène.

« Il est vain désormais d'envisager le théâtre comme une manifestation littéraire de l'esprit : l'heure est venue d'étudier de plus près le rôle complexe de la personnalité de l'acteur qui réagit sur l'œuvre elle-même et celui de l'ambiance où la pièce est produite qui réagit sur le spectateur. »

### Adolphe Appia, Edward Gordon Craig. Mise en scène et renouvellement du théâtre.

Mais la réaction antinaturaliste et la poursuite de la réforme entreprise depuis Antoine trouvèrent leurs grands doctrinaires avec le Suisse Adolphe Appia (1862-1928) et l'Anglais Gordon Craig (1872-1966).

Appia n'est l'auteur que de quatre mises en scène, dont la plus importante est, en 1923, celle de *Tristan et Yseut* à la Scala de Milan. L'œuvre de Craig se limite à une douzaine de mises en scène, dont celle de *Hamlet,* à Moscou, en 1912, fut la plus remarquable. Néanmoins, l'influence de ces deux réformateurs a été fondamentale. En fait, leurs contributions ont consisté dans des réflexions : réflexions sur les tares qui accablent le théâtre de la fin du siècle dernier, sur les manifestations dramatiques des grandes époques, sur les principes de la réforme à accomplir.

Ces réflexions sont diffusées sous forme d'ouvrages ou d'articles : Appia publie en 1895 *la Mise en scène dans le drame wagnérien,* en 1899 une traduction en langue allemande de son ouvrage *la Musique et la mise en scène,* en 1921 *l'Œuvre d'art vivant;* Craig publie en 1905 *De l'art du théâtre,* qui sera suivi de *Towards a New Theatre* (1912), puis de *Théâtre en marche* (1919).

Ce qui donne toute leur valeur à ces réflexions, c'est qu'elles ont été élaborées en partant des faits — et pas seulement des faits historiques. Elles s'accompagnent de la confection de maquettes et de la rédaction de mises en scène consacrées plus particulièrement à l'œuvre de Wagner chez Appia et à celle de Shakespeare chez Craig. Nombre de ces maquettes ont été exposées et publiées.

Sur certains points essentiels, leurs réflexions se rejoignent de façon frappante : nécessité de dénoncer les erreurs des conceptions réalistes, de restaurer le théâtre dans son autonomie artistique — en réhabilitant l'interprétation scénique, en le dégageant de l'emprise exercée sur lui par certains autres arts, en recherchant les moyens de réaliser l'harmonie et l'unité, en en faisant le premier des arts, en montrant les ressources des moyens d'expression scénique et de leur union.

Mais cet accord sur les questions essentielles n'exclut pas entre Appia et Craig des divergences et des oppositions, qui apparaissent à la lumière d'un bref exposé de ces deux conceptions capitales.

À partir de 1888, donc un an après la fondation du Théâtre-Libre, au moment où commence sa méditation positive sur les problèmes du théâtre, la situation qui se présente à Appia est la suivante. L'œuvre et les conceptions de Wagner prédominent. À Wagner, il revient d'avoir compris que le théâtre, en réunissant tous les moyens d'expression artistique, peut parvenir à créer en une forme homogène l'expression intégrale du drame humain dans toute sa pureté et sa profondeur.

À Bayreuth, Wagner a construit une salle dont l'architecture répond à son ambition; sa mise en scène se trouve encore trop étroitement soumise à l'influence naturaliste, en contradiction profonde, selon Appia, avec le sens et l'écriture de son œuvre.

Une troupe fondée par le duc de Saxe-Meiningen apporte de 1874 à 1890 un très bel exemple de discipline de mise en œuvre et d'unité — mais elle sacrifie, elle aussi, à la tendance réaliste de la reconstitution exacte.

48    Mais certaines manifestations de la tendance idéa-

liste (en France, le théâtre d'Art, l'Œuvre à ses débuts) risquent, pour Appia, d'aboutir à une « signification » excessive et à faire du spectacle un passe-temps littéraire.

Autres griefs repris par Appia et tous les réformateurs qui suivront : le mercantilisme au théâtre, l'exhibitionnisme de la vedette, l'anarchie du spectacle.

À l'analyse critique des manifestations du théâtre qui lui fut contemporain doivent faire suite les propositions positives formulées par Appia.

L'harmonie du spectacle suppose une hiérarchie. Les moyens qui ont le pouvoir d'exprimer (éléments affectifs et de nature mobile) l'emportent sur les éléments intellectuels, qui signifient, expliquent. Musique, éclairage expriment, alors que le mot, le dialogue et la peinture décorative signifient. Les premiers doivent donc l'emporter sur les seconds.

La musique a par elle-même une vocation dramaturgique par son pouvoir privilégié d'exprimer la vie intérieure en ce qu'elle est, de par sa nature même, mouvement. Elle ordonne la durée en déterminant l'espace, les mouvements de l'acteur dans l'espace et, par suite, la plantation, en même temps qu'elle fixe l'intensité et la hauteur de l'émission vocale.

Mais c'est par l'intermédiaire du corps de l'acteur que la musique est rendue présente et prend forme dans l'espace.

Certains principes permanents, liés aux qualités propres au corps de l'acteur — en particulier le fait qu'il ait trois dimensions, que ses lignes soient perpendiculaires —, impliquent, pour le mettre en valeur, une certaine architecture scénique. Ce qui doit prédominer, c'est la construction, qui mettra le corps de l'acteur en valeur, et non le décor peint, qui passe au second plan.

À ces premières remarques s'ajoutent d'autres considérations :

— importance considérable accordée par Appia à la lumière, qui doit être utilisée en vue non plus d'éclairer le décor, mais de mettre en valeur les qualités plastiques du corps de l'acteur;

— infériorité du drame parlé par rapport au drame musical, en ce que la durée ne peut être déterminée avec rigueur, ni le jeu des acteurs (évolution et diction);

— possibilité donnée par le théâtre lyrique au poète-musicien de régler lui-même la mise en scène de sa pièce, qui se trouve d'ailleurs incluse dans la partition : d'où une parfaite unité entre l'œuvre écrite et sa représentation;

— réalisation par le théâtre non pas d'une synthèse d'arts, mais d'une synthèse d'éléments artistiques dont l'unité dépend de leur nature et de leurs propriétés. L'autonomie artistique du théâtre se trouve être ainsi établie de façon rigoureuse;

— subordination de la décoration à la construction, à la plantation, à la *praticabilité*, c'est-à-dire à un dispositif scénique permettant, par ses points d'appui, par son profil, de mettre en valeur le mouvement et les évolutions de l'acteur. Utilisation de l'espace en largeur, en profondeur, en hauteur au moyen de plans inclinés, de niveaux et de paliers, d'escaliers...

La meilleure utilisation de l'éclairage et le souci d'obtenir une meilleure participation du public commandent la disparition de la rampe. Suppression du rideau pour répondre à cette dernière préoccupation, qui, dans les écrits d'Appia, sera poussée jusqu'à l'extrême limite : suppression de l'attitude de « vis-à-vis ». Participation totale des spectateurs. Réalisation d'un art, dont le corps de l'acteur est le matériau, conçu dans un espace où n'existe plus de séparation entre la salle et la scène.

De façon frappante se retrouvent chez Craig certains des objectifs généraux poursuivis par Appia : opérer une réforme *totale* et non partielle du théâtre;

restaurer le théâtre dans son indépendance artistique en mettant fin à l'anarchie qui y sévit.

Pour Craig, l'origine et l'essence du théâtre procèdent du mouvement : « J'aime à me rappeler que toutes choses naissent du mouvement, y compris la musique, et je me félicite que nous ayons l'honneur d'être les servants de cette force suprême, le mouvement. »

« L'art du théâtre est né du geste — du mouvement — de la danse. »

« La vocation du théâtre s'analyse en un désir de mouvement. J'entends par mouvement le geste et la danse, qui sont la prose et la poésie du mouvement. »

Libérer le théâtre de l'emprise des artistes appartenant à d'autres disciplines : littérateurs, musiciens, décorateurs; lui redonner l'unité, l'harmonie, l'équilibre que cet état d'anarchie lui a fait perdre : pour Craig, cet équilibre reste constamment menacé, plus particulièrement par la faute de l'auteur dramatique et par celle de l'acteur. L'auteur, parce qu'il ignore trop souvent la véritable nature du style dramatique. L'acteur, parce que l'intervention de son corps, réalité vivante, introduit nécessairement dans cette œuvre d'art que doit être l'œuvre théâtrale un grossier réalisme. Or, ainsi que l'écrit Craig, « le but de l'art n'est pas de refléter la vie et l'artiste n'imite pas, il crée. Le réalisme ne peut s'élever, il tend à l'encontre à déchoir. »

L'acteur peut difficilement se contrôler; or, toujours selon Craig, il n'y a pas d'œuvre d'art sans contrôle rigoureux.

Quelle sera la solution?

Les propositions formulées par Craig, variables et quelquefois contradictoires, ont donné lieu aux controverses les plus passionnées.

Dans un premier moment, Craig considère qu'il faut, en l'état actuel du théâtre, admettre le concours de l'auteur.

Dans un deuxième temps, il considère que l'auteur doit être chassé du théâtre : « sous l'autorité du metteur en scène, à qui, en ce cas comme dans les autres, une obéissance volontaire, absolue, doit être accordée, faute de quoi on ne pourra rien entreprendre de grand. Ainsi naîtra un art si élevé, si universellement admiré, qu'on y découvrira une religion nouvelle, une religion qui ne fera pas de prêche, mais des révélations, qui ne présentera pas d'images définies telles que les créent les peintres et les sculpteurs, mais nous dévoilera la pensée, silencieusement, par le geste, par des suites de visions. » Il ajoute : « Il s'agit d'une proposition inoffensive — d'aucuns la jugeront chimérique —, il ne s'agit que de restaurer notre art antique et honorable. »

Dans un troisième moment, Craig affirme qu'il n'a jamais voulu chasser personne du théâtre, sauf le *non-dramatique.*

En ce qui a trait à l'acteur, dans un premier moment, il considère que l'acteur devra se créer un masque, contrôler son imagination, devenir un simple élément mobile du décor.

Un certain nombre de réflexions peuvent être groupées afin de constituer le second moment de sa pensée : « Supprimez l'acteur et vous enlèverez à un grossier réalisme les moyens de fleurir à la scène [...]. L'acteur disparaîtra : à sa place, nous verrons un personnage inanimé — qui portera, si vous voulez, le nom de « sur-marionnette ». »

Craig apportera, par ailleurs, cette précision : « La super-marionnette, c'est le comédien avec le feu en plus et l'égoïsme en moins. »

Avec Appia et Craig, les principes de la réforme du théâtre sont, pour la plupart, formulés. C'est la reprise de la majorité d'entre eux ou leur mise en application qui, pour une part déterminante, inspirera les conceptions et les réalisations qui suivront, notamment celles qui sont propres au constructivisme russe et allemand, à l'expressionnisme allemand et scandinave, au futurisme italien et français.

# Konstantine Sergueïevitch
# Stanislavski (1863-1938)

La situation du théâtre russe à la fin du siècle dernier n'est pas sans analogie avec celle qui sévit en France : si l'on en croit Stanislavski, fondateur à Moscou, en 1898, avec V. I. Nemirovitch-Dantchenko (1858-1943), du théâtre d'Art, la chose théâtrale se trouvait d'un côté entre les mains d'entrepreneurs de cafés chantants, de l'autre entre celles de bureaucrates.

Influencé par les Meininger et leur metteur en scène Ludwig Chronegk (1837-1891), le programme général du théâtre d'Art ne diffère guère de celui du Théâtre-Libre. Condamnation de l'ancienne manière de jouer, du cabotinage, du mensonge de la mise en scène ou des décors, des vedettes qui nuisent à l'harmonie de l'ensemble, de l'ancienne ordonnance du spectacle, de la médiocrité du répertoire. « Nous déclarions la guerre à la routine théâtrale, écrira Stanislavski, en quelque domaine qu'elle se manifestât. »

Stanislavski, retraçant l'histoire du théâtre d'Art, distingue une première période, qui s'étend de 1898 à 1905, période de recherches vouée à ce qu'il appela lui-même le « réalisme historique » : « Je me suis mis à haïr le théâtre au théâtre, déclare-t-il ; j'y cherchais la vie authentique, aspiration vers la vérité artistique surtout extérieure. Vérité des objets [...], de l'aspect physique des personnages se substituant à l'habituel mensonge théâtral. »

Montant *Jules César,* il transforme le théâtre en un véritable institut scientifique. Différentes sections sont constituées, ayant chacune un programme déterminé. Des conservateurs de musées et de bibliothèques deviennent collaborateurs du spectacle. Devise du théâtre : *Pravda,* vérité, fidélité.

Dans le *Tsar Fédor*, de Tolstoï, les assistants de Stanislavski mesurent la longueur des manches des costumes portés par les boyards de Fédor, copient les dessins des dentelles, se préoccupent de retrouver comment, au XVIe s., on dressait des meules de foin.

Les recherches, les répétitions, par leur nombre, traduisent un goût approfondi du travail.

L'acteur est considéré comme l'élément capital. Dès le début, Stanislavski se préoccupera de sa formation et élaborera son «système», dont les principes connaissent la faveur d'écoles de théâtre dans les pays socialistes et aux États-Unis. Mais le naturalisme qui concernera les accessoires, les costumes, le jeu n'empêcheront pas un goût russe ancestral de se manifester pour la couleur, un sens poussé de la simplification, de la synthétisation.

Puis, dans une seconde période, le réalisme tant recherché par Stanislavski n'est plus que celui de la *vie intérieure.*

Comme il le dira lui-même, sous une autre forme, Stanislavski prend conscience de la vérité théâtrale en face de la vérité tout court.

Son travail personnel et le mouvement de réaction antiréaliste déclenché par le théâtre d'Art, puis par le théâtre de l'Œuvre, sur le plan pratique, sur le plan théorique, par un Gordon Craig (interprétation simplifiée en correspondance avec l'évolution du mouvement pictural), le déterminent à orienter sa production vers un réalisme symbolique et, finalement, vers le symbolisme tout court. La multiplication des indications réalistes fait place à la traduction de la tonalité prédominante de l'œuvre à interpréter. Stanislavski parvient, par cette voie, à des ensembles remarquables. C'est à cette époque que fut créé le Théâtre-Studio (1905), scène expérimentale du théâtre d'Art, qui, animé par Meyerhold, sous la direction de Stanislavski, poussa l'évolution ainsi engagée jusqu'à prendre le contre-pied des idées qui présidèrent aux premières réalisations du théâtre d'Art. Meyerhold, en effet, considéra, comme l'observera Stanislavski, que « le réalisme a vécu, et que ce qu'il importait de porter à la scène, c'était l'irréel ».

## Jacques Copeau (1879-1949)

La fondation à Paris par Jacques Copeau du Vieux-Colombier en 1913, son transfert aux États-Unis pendant une partie de la Première Guerre mondiale, puis sa reprise de 1920 à 1924 apparaissent donc, à la fois comme un aboutissement de la réforme et un départ en ce qu'elle opère, en effet, une nouvelle révision critique et contient un programme original de propositions constructives dont ont vécu et vivent encore les théâtres français, italien et anglais notamment.

Pour répéter les propres termes employés par Copeau, les faits qui motivent la continuation de la réforme entreprise par ses prédécesseurs sont l'abandon du théâtre aux spéculations des exploiteurs, l'éviction de l'auteur, le maintien dans la routine du patrimoine classique, le règne du désordre, de la cupidité personnelle, de la virtuosité poussée jusqu'à la grimace et de la prodigalité barbare.

Après l'énoncé des motifs de réaction, les mobiles de rénovation conduisent à distinguer nettement les principes des moyens permettant de réaliser leur mise en œuvre.

Les principes sont simples et ne sont pas particuliers à Copeau : à la suite d'Antoine, d'Appia et de Gordon Craig, en qui il reconnaît ses maîtres, Copeau entend « faire régner la discipline, le désintéressement, l'esprit de corps, l'économie des moyens et l'unité par l'harmonie ».

À ces principes généraux s'en ajoutent quelques autres : redonner au poète dramatique la première place, « lui rendre un culte absolu »; par une perma-

55

nence, une continuité de l'entreprise, en assurer la réussite, différenciant ainsi son effort de celui d'un théâtre d'avant-garde «ordinairement reconnaissable aux traits d'une originalité très voyante, d'un caractère très accusé et facile à saisir». Et Copeau d'observer encore : «On combat, on défend les tendances révolutionnaires d'un théâtre d'avant-garde avec le même sentiment d'avoir affaire à une crise singulière, inévitable et de courte durée. »

Les quelques principes qui viennent d'être exposés semblent bien constituer les bases de l'*ordre* que Copeau, ainsi qu'il l'annonce lui-même dans le premier *Cahier du Vieux-Colombier,* entend instaurer : « Nous voulons [...], pose-t-il avec force, instituer un *ordre,* c'est-à-dire une chose qui se puisse comprendre, à quoi l'on puisse adhérer, un ordre stable pour un renouvellement illimité, un ordre de commandement et d'abnégation [...]. »

Un tréteau nu, ou un dispositif architecturé permettant d'utiliser l'espace dans les trois dimensions, synthétique, c'est-à-dire stable dans sa structure, mais adaptable aux œuvres les plus variées, un rapport plus direct entre acteurs et spectateurs par la suppression de la rampe et du rideau, telles furent les révélations du théâtre du Vieux-Colombier, dont la salle, transformée avec le concours de Louis Jouvet, accueillit des œuvres de Shakespeare et de Molière ainsi que d'auteurs contemporains comme Roger Martin du Gard, Paul Claudel et Charles Vildrac, tout en groupant, dans une école, autour d'un programme qui contenait les principes d'une réforme globale du théâtre, nombre d'élèves qui allaient devenir les maîtres du théâtre français contemporain.

Après la fermeture du théâtre du Vieux-Colombier en 1924, Copeau perça dès 1926 deux des voies nouvelles ou renouvelées du théâtre : à Beaune ou à Florence, les grandes manifestations théâtrales populaires de plein air; en Bourgogne, avec les Copiaux, une des premières tentatives de décentralisation, amenant le théâtre au village, avec un spectacle composé, pour le texte et la mise en scène, selon des principes proches de ceux qui seront adoptés pour les créations collectives du théâtre des années 70.

## Antonin Artaud (1896-1948)

Poète surréaliste, acteur au théâtre de l'Atelier sous la direction de Charles Dullin, Artaud, comme Appia et Craig, a une œuvre de metteur en scène des plus limitées. Ses écrits théoriques — notamment son livre-manifeste *le Théâtre et son double,* paru en 1938 — ont suffi à marquer profondément depuis 1955 une partie des animateurs appartenant au jeune théâtre français ou étranger, tels Jerzy Grotowski en Pologne, Julian Beck et Judith Melina aux États-Unis, Roy Hart en Angleterre..., l'autre partie se réclamant des représentants du théâtre politiquement engagé.

Artaud tire de l'observation des manifestations dramatiques telles qu'elles sont pratiquées à Bali les références concrètes de son système. D'après lui, le théâtre balinais est resté ce que le théâtre devait être à son origine, en ce qu'il accorde au langage physique et spatial de la scène, à base de signes et de mouvements, le pouvoir exclusif de rendre sensibles les forces magiques auxquelles le monde obéit. Un tel théâtre paraît donc être le « double » non pas, comme le théâtre occidental, de la réalité quotidienne, mais d'une autre réalité, incomparablement plus riche et constituée, précisément, par ces forces magiques.

Selon Artaud, c'est plus particulièrement depuis la Renaissance que le théâtre, par la prééminence accordée aux mots, est devenu une branche accessoire de la littérature. Il ne retrouvera son autonomie artistique qu'en recourant aux seuls moyens scéniques spécifiques, dont l'agencement harmonieux constitue le spectacle devenu intégral.

Une telle régénération à partir des moyens d'expression propres au théâtre implique, toujours selon Artaud, une réforme de toutes ses parties. Il importe, écrira-t-il, de mettre fin à la « dictature de l'écrivain » en accordant aux mots ni plus ni moins de place dans le jeu que dans le rêve, mais en utilisant toute la valeur incantatoire dont ils sont chargés, afin de répondre rigoureusement aux exigences physiques de la scène. Or, le metteur en scène, par la connaissance qu'il a des réalités et des lois de la scène, par l'équilibre et l'harmonie qu'il doit imprimer à l'œuvre au cours de son travail, doit devenir nécessairement le seul maître de son théâtre. Ancien auteur ou, à défaut, ancien acteur, il deviendra le créateur unique à qui incombera la double responsabilité du spectacle et de l'action.

## mise en scène et idéologie politique

Si, dans le prolongement de l'œuvre et des écrits théoriques de Bertolt Brecht (1898-1956), le théâtre politique d'inspiration marxiste connaît dans le monde un rayonnement considérable, ne perdons pas de vue que cet auteur-metteur en scène a eu pour devanciers de purs metteurs en scène. Rattaché au ministère soviétique de l'Éducation nationale en 1917, deux semaines après l'avènement du régime, le théâtre, « âme de la vie sociale », fut considéré comme le « premier des services publics », en ce qu'il devait « assurer la cohésion spirituelle de tous les peuples de l'Union ». Avec la musique et le cinéma, le théâtre devait être « l'expression même de la foi sociale qui rassemble, qui instruit, qui ennoblit le prolétariat et qui le conduit vers des destinées toujours plus hautes ». Ce service forma un département spécial (TEO), et ce fut Vsevolod Emilievitch Meyerhold (1874-1942) qui, en 1920, fut nommé directeur de ce département panrusse. Aux termes de sa première déclaration officielle, il prévoyait que le TEO organiserait « son travail de manière à devenir, dans le domaine théâtral, un organe de propagande communiste. Comme tous les départements du Soviet des commissaires du peuple, il affronte les tâches d'instruction politique qui incombent au théâtre. Il faut en finir une fois pour toutes avec les tendances neutres dites *culturelles.* »

Les principaux éléments d'une doctrine d'un théâtre révolutionnaire se trouvent formulés par l'Allemand Erwin Piscator (1893-1966), metteur en scène à la Volksbühne de Berlin. La mission de ce théâtre, précise-t-il, « consiste à prendre la réalité comme point de départ, à intensifier le désaccord, pour en faire un élément d'accusation, et à préparer ainsi la révolution et l'ordre nouveau ». Après la Seconde Guerre mondiale, le metteur en scène polonais Leon Schiller (1887-1954), dans un rapport présenté dès 1946 au Conseil supérieur du théâtre à Varsovie, se préoccupe de la formation des hommes de théâtre eux-mêmes afin d'assurer une meilleure éducation politique des spectateurs. D'autre part, il s'attache à définir les principes idéologiques qui doivent servir de guide dans le choix du répertoire. Sans écarter les œuvres monumentales de la dramaturgie romantique ou postromantique polonaise, il estime que ce seront des drames historiques, dont le thème sera emprunté à l'époque contemporaine, qui intéresseront le plus souvent « ces crève-la-faim d'hier » ou « les hommes des cavernes des villes en ruine ».

Leon Schiller souhaite encore que les hommes de théâtre s'efforcent de dénoncer les altérations que la vérité historique a subies dans certaines œuvres. Il écrit à ce propos : « [...] nous devons [...] commenter de telles œuvres au moyen d'introductions au spectacle, d'exposés entre les actes, de notes adjointes au programme ou filmées. » Rénovation des œuvres classiques afin de les rapprocher des spectateurs, droit proclamé de modifier les textes, recours aux principes

59

de la composition collective de spectacles ou « montages » d'événements.

Mais les applications scéniques de ces conceptions d'un théâtre de formation politique institutionnalisé ne diffèrent guère, pour l'essentiel, de celles des troupes théâtrales d'action révolutionnaire contemporaines opérant en Amérique du Nord ou en Amérique latine, dans certains pays d'Asie ou en Europe — aussi variés que puissent être les motifs et les buts idéologiques qui les inspirent et les lieux où elles se manifestent. Qu'elles soient placées sous la conduite de metteurs en scène militants ou qu'elles entendent pratiquer, par la création collective, une véritable démocratie directe, il s'agit de traduire clairement, pour un public non averti, des intentions et des idées, des situations, des actions et des personnages au moyen d'un certain réalisme — les analogies entre un Brecht et un Antoine ont déjà été indiquées. Mais le formalisme de la « théâtralité » mis à part, le choix du théâtre comme médiateur, de ses pouvoirs propres d'action et d'expression, reste consciemment exploité. En raison de la communication directe et concrète qu'il opère d'homme à homme, de son pouvoir de montrer un fait ou un événement, avec leurs dimensions temporelles et spatiales, devant un public assemblé; de provoquer, par certaines structures architecturales, d'ailleurs traditionnelles, un constat, une prise de conscience critique; d'exploiter, par des images ou des films projetés, l'intervention de documents — preuves authentiques, contrepoints à une action qui contiendra une part de fiction —; de pousser la logique d'un tel emploi du document (fréquemment repris par Piscator) jusqu'au théâtre dit « document » d'un Peter Weiss; de provoquer par l'emploi de moyens et de procédés proprement théâtraux (maquillages, masques, marionnettes, costumes inventés, dispositifs architecturés ou décors en trompe l'œil) l'accentuation de différences entre lieux, personnages ou situations.

Mais l'emploi, par le Berliner Ensemble par exemple, du théâtre à l'italienne ou celui, par le Bread and Puppet Theatre, du défilé à la flamande de poupées géantes montre assez que le théâtre politique limite, en bonne logique, les pouvoirs de la mise en scène à une stricte mise en valeur des idées par des procédés d'une lisibilité éprouvée. L'ambition commune aux représentants de ce mouvement n'est autre, pour reprendre la formule de René Allio, que d'utiliser le théâtre comme « une machine à faire voir ».

## les metteurs en scène et la mise en scène

Plaçons-nous au moment où le metteur en scène entreprend son travail : entre la pièce et les différents moyens d'expression de la scène.

Afin de mieux marquer les différentes positions adoptées dans les idées et dans les réalisations, partons de la notion capitale à laquelle tous les metteurs en scène ont abouti : celle de théâtre-synthèse artistique, originale, spécifique. Et cette notion vaut à la fois pour l'art et pour l'œuvre à réaliser.

Deux tendances principales se manifestent :
— une tendance qui admet en principe l'égalité des éléments composant la synthèse et nous paraît avoir comme principal représentant Gaston Baty;
— une tendance qui admet que la synthèse suppose nécessairement, pour être dramatiquement valable, une hiérarchie.

Cette seconde tendance, qui rallie la majorité des hommes de théâtre, se divise à son tour en plusieurs courants, selon la place respective réservée aux différents éléments de la synthèse.

Concernant Gaston Baty (1885-1952), qui fonde les Compagnons de la Chimère en 1920, reprenons quelques-unes des formules utilisées dans ses écrits

61

théoriques et illustrées par ses mises en scène : le drame intégral doit pouvoir exprimer une intégrale vision du monde, et chaque élément a, en principe, une valeur égale : la mimique, le geste, le texte, la musique, le décor. Le texte, par lui-même, n'a aucune valeur privilégiée une fois qu'en préparant son travail le metteur en scène en a extrait la pensée de l'auteur. Si, dans chaque cas particulier, une hiérarchie doit intervenir, c'est en fonction de la pensée et non des mots chargés de l'exprimer.

Jean-Louis Barrault, dans ses *Réflexions sur le théâtre* (1949), se déclare partisan d'un *théâtre total,* c'est-à-dire de l'utilisation totale de tous les moyens d'expression que peut apporter l'être humain : chant, diction lyrique, diction prosaïque, art du geste, geste symbolique, geste lyrique et danse... Notons, en passant, que cet art total ne fait qu'utiliser la totalité des moyens de l'*acteur;* mais, ce dernier n'étant pas seul, la première place se trouve lui être ainsi attribuée.

Voyons quelques autres conceptions qui, explicitement ou implicitement, instaurent une hiérarchie entre les éléments composant la synthèse dramatique.

Pour Appia, la musique, le jeu corporel de l'acteur, la plantation, l'éclairage doivent l'emporter sur le dialogue et la peinture décorative — parce qu'ils sont moyens d'expression et non de signification, et qu'ils traduisent la vie affective et sa mobilité, qualité qui répondrait à l'essence même du théâtre.

Pour Gordon Craig, pour les représentants du théâtre du Bauhaus, pour Enrico Pramprolini et les futuristes italiens, pour Jacques Polieri et Nicolas Schöffer, les éléments plastiques rendus mobiles doivent l'emporter sur l'acteur, qui s'identifiera avec eux. Ils doivent l'emporter également sur l'élément littéraire. Cette conception repose sur l'origine du théâtre, que Craig place dans la danse et le modèle que constituent les théâtres orientaux. Selon lui, le mot, par nature, est contraire à l'essentielle mobilité du théâtre.

Pour un nombre important d'autres praticiens en France (Lugné-Poe [1869-1940], Firmin Gémier [1869-1933], Jacques Copeau, Charles Dullin [1885-1949], Louis Jouvet [1887-1951]), en Allemagne (Carl Hagemann, Erich Engel), en Italie (Orazio Costa), au Danemark (Sam Besekow), le texte est l'élément primordial, et les moyens les plus aptes à le mettre en valeur devront prendre la place principale.

Firmin Gémier et Copeau distingueront, partant de là, deux sortes de mises en scène : l'une « psychologique », jugée indispensable; l'autre « picturale », jugée secondaire.

Dans cette perspective s'inscriront, à la limite, les tentatives de suppression du décor et de l'accessoire, du jeu devant des rideaux, d'un art de la suggestion faisant appel à l'imagination du spectateur.

À ce dépouillement s'opposera une mise en œuvre, poussée jusqu'au paroxysme, des moyens du théâtre autour de l'acteur et des figurants, mis au premier plan. Georg Fuchs (1868-1949) et Fritz Erler (1868-1940), en Allemagne, Max Reinhardt (1873-1943) et Piscator en Autriche, les constructivistes Meyerhold, Nikolaï Pavlovitch Okhlopkov (1900-1967). Nikolaï Nikolaïevitch Ievreinov (1879-1953) et Aleksandr Iakovlevitch Tairov (1885-1950) en U. R. S. S. se rattacheront à cette dernière tendance. On assiste à une véritable exaltation de tous les moyens dramatiques et des conventions qui leur sont attachées (changement de décor faisant partie du spectacle, etc.). Et c'est chez les représentants de cette tendance que l'on retrouve liée à cette mise en action de la synthèse des moyens dramatiques la notion de *théâtralité,* exprimée notamment par Ievreinov et par Fuchs.

Orientés vers la pratique du théâtre, exposons les prolongements des opinions qui précèdent en posant le problème des rapports du metteur en scène et de

63

l'acteur (ou de son œuvre). Nous touchons ici à l'un des points de friction les plus aigus du conflit suscité par la mise en scène.

Les principales solutions théoriques et pratiques que le théâtre a connues au cours de ces quatre-vingt-dix dernières années apparaissent, de façon privilégiée, à propos de la mise en scène des œuvres classiques.

Trois tendances peuvent être distinguées.

Dans les rapports du metteur en scène et de l'œuvre écrite, une première tendance, propre en France à un Copeau ou à un Jouvet, en Allemagne à un Erich Engel (1891-1966) ou à un Paul Legband, en Italie à un Orazio Costa, fait prédominer le respect total de cette œuvre. Ses représentants sont, selon le terme qu'ils ont employé eux-mêmes, les « serviteurs du texte ».

Une deuxième tendance fait prédominer sur le respect des exigences du texte le respect des exigences du théâtre. Ses représentants, un Appia en Suisse, un Craig en Angleterre, un Tairov en U. R. S. S., un Leopold Jessner (1878-1945) en Allemagne, un Barrault en France, un Peter Brook en Angleterre, se considèrent comme des puristes, des formalistes. Ce sont les « serviteurs du théâtre ».

Selon une troisième tendance doivent prédominer sur les exigences du texte et les exigences du théâtre celles d'une idéologie. Un Piscator en Allemagne, un Leon Schiller en Pologne, un Roger Planchon en France, un Julian Beck aux États-Unis peuvent représenter cette tendance.

Notons que ces trois tendances ne coïncident pas exactement avec les différentes conceptions qui viennent d'être formulées sur le rôle que s'attribuent les metteurs en scène. À travers les divergences il y a une constatation importante à faire : c'est que, fréquemment, en cette matière difficile, la production de certains artistes est en contradiction avec les réflexions qu'ils ont publiées. Beaucoup, qui se déclarent serviteurs du texte, sont contredits par leurs réalisations. Ce sont ceux, précisément, qui admettent une sorte de compromis entre les exigences de la pièce et celles de la scène.

Remarquons encore que, d'un point de vue strictement historique, c'est-à-dire chronologique, il n'y a pas d'observations à présenter en ce qui a trait à ces trois tendances, qui se manifestent simultanément à toutes les époques. Que, d'autre part, du point de vue national, quelques traits dominants et constants peuvent être dégagés : les Français et les Italiens appartiennent en majorité à la première tendance, celle des serviteurs du texte; les Russes, les Allemands, les Polonais, à la troisième, celle des serviteurs d'une idéologie. Positions, dans ces deux cas, qui apparaissent comme traditionnelles et dépassent la période contemporaine.

À cette notion capitale de théâtre-synthèse spécifique, nombre de metteurs en scène ont, en face de leurs détracteurs, lié une justification de leurs conceptions et une définition de leurs rôles. Précisément, ce rôle consiste, pour eux tous, à réaliser cette synthèse et à la maintenir.

Dans *Critiques d'un autre temps,* Copeau écrit : « Par mise en scène nous entendons : le dessin d'une action dramatique. C'est l'ensemble des mouvements, des gestes et des attitudes, l'accord des physionomies, des voix et des silences; c'est la totalité du spectacle scénique, émanant d'une pensée unique, qui le conçoit, le règle et l'harmonise. Le metteur en scène invente et fait régner entre les personnages ce lien secret et visible, cette sensibilité réciproque, cette mystérieuse correspondance des rapports, faute de quoi, le drame, même interprété par d'excellents acteurs, perd la meilleure part de son expression. »

Mais les opinions diffèrent, lorsqu'il s'agit de déterminer la place qu'il est possible d'attribuer à cette fonction dès qu'on la considère du point de vue artistique.

65

Georges Pitoëff (1884-1939) occupe une position extrême : il ne craint pas de voir dans la mise en scène un art distinct, en une certaine manière, indépendant. Il écrit : « Le metteur en scène, autocrate absolu, en rassemblant toutes les matières premières à commencer par la pièce elle-même [...] fait naître, par l'expression de l'art scénique qui est son secret, le spectacle. »

D'autres, comme Gordon Craig ou Artaud, considèrent le metteur en scène comme le maître, le véritable artiste de théâtre, du fait qu'il est chargé du maniement de moyens d'expression vraiment spécifiques : les moyens de la scène.

D'autres, comme Gémier ou Baty, le considèrent comme un maître dans le domaine qui est le sien — celui de la scène.

D'autres sont hostiles à le considérer comme un artiste et préfèrent utiliser le terme de *maître ouvrier,* d'artisan au service de l'œuvre écrite : ce sera le cas de Dullin, de Jouvet et de Jacques Copeau, qui semble tenté de concilier les divergences et les antagonismes que ces deux fonctions peuvent impliquer lorsqu'il considère qu'écrire la pièce et la mettre en scène sont les deux temps d'une même démarche de l'esprit.

D'autres, enfin, plus particulièrement après mai 1968, contestent l'autorité de ce metteur en scène, dictateur raté qui se libère au théâtre de ses aspirations de domination. Dans cet art d'équipe qu'est le théâtre, l'ensemble des tâches de la mise en scène doit devenir, prétendent-ils, une œuvre collective.

En marge des contingences commerciales et syndicales, les tentatives nombreuses de créations collectives révélées autour de 1965, en particulier par le Festival international de Nancy, se trouvent liées le plus souvent aux productions de troupes universitaires se libérant des lieux et des méthodes traditionnelles de travail, tendant à vivre d'une vie physique, artistique

et idéologique communautaire, favorisant la créativité

de chacun, le texte et la mise en scène constituant l'œuvre collective de la troupe. En fait, au cours des quinze dernières années, les troupes les plus marquantes ne parviennent pas à dissimuler, derrière leurs réalisations, de fortes personnalités, auteurs, metteurs en scène ou directeurs déclarés ou inspirateurs reconnus, quoique anonymes, du travail : Julian Beck et Judith Melina avec le Living Theatre (1951-1970), Peter Schumann avec le Bread and Puppet Theatre aux États-Unis, Luca Ronconi avec le Théâtre-Libre de Rome en Italie, Ariane Mnouchkine avec le Théâtre du Soleil et Jacques Nichet avec l'Aquarium en France. L'apport créatif largement compris de chacun n'empêche que l'efficacité d'ordre social ou politique, particulièrement recherchée par ces troupes, exige une unité de conception et de réalisation d'autant plus rigoureuse.

## le décor et le dispositif scénique

Avec les positions adoptées par les praticiens en ce qui concerne les rapports du metteur en scène et de l'auteur, nous touchions au problème général de l'interprétation dramatique. Nous allons aborder l'exposé des solutions données à des problèmes intéressant plus directement la mise en œuvre scénique : il s'agit de décor, de dispositif spatial de jeu.

Aux questions relatives au décor ou au dispositif sont encore étroitement liées celles qui sont relatives au mobilier, aux accessoires, à l'éclairage, enfin à l'architecture du lieu.

En matière de décor, nous retrouvons les deux grands courants naturaliste et antinaturaliste qui ont marqué l'évolution du théâtre contemporain.

Faute de mieux, nous attribuerons au second, de loin le plus important et le plus varié, l'étiquette de *décor stylisé.* Ce courant antinaturaliste est marqué par une simplification, une abstraction, une schématisation des lignes et des formes, une substitution du signe à la chose ou à la copie exacte de la chose. Il se subdivise lui-même en deux autres : d'une part, le courant *pictural,* où se concilient la préoccupation de servir l'action dramatique avec celle d'orner le lieu scénique de lignes et de couleurs; d'autre part, le courant *constructiviste,* où prédomine la préoccupation de mettre le corps de l'acteur et le jeu en valeur par l'utilisation de l'espace scénique dans les trois dimensions. Ce courant empruntera à la peinture et à la littérature ses appellations, et l'on aura des décors symbolistes, constructivistes, expressionnistes, futuristes, cubistes, etc.

Afin de délimiter le cadre historique de chacun de ces courants, commençons par rappeler ce que fut la contribution d'Antoine en matière de décor.

À la fin du siècle dernier, nombre de théâtres ne disposaient que de décors à toutes fins, ne comprenant que peu de modifications à l'occasion de chaque œuvre représentée. Décors en toile peinte utilisant le trompe-l'œil, arbres peints sur la toile ou mobiliers et accessoires également peints; utilisation, dans quelques théâtres privilégiés, de décors peints destinés à opérer une reconstitution conventionnelle de la nature : ce souci réaliste s'accommodait des pires conventions du théâtre.

En face d'un tel réalisme, qui cessait de paraître réaliste à force de conventions, l'effort d'Antoine consista, précisément, à tenter de conserver le réalisme en supprimant le conventionnel. D'autre part, dans son désir de reconstituer le *milieu* et de le faire jouer, apparaît la valeur fonctionnelle du décor, du mobilier et des accessoires, c'est-à-dire leur valeur de signification propre et la nécessité de réaliser leur accord avec les autres éléments scéniques.

Or, les deux tendances constructiviste et picturale, si l'on veut délimiter leur cadre historique respectif, se manifestent dès l'origine de la réaction antiréaliste.

Le courant pictural apparaît au cours de l'existence éphémère du théâtre d'Art de Paul Fort, puis du théâtre de l'Œuvre. Il est alors marqué par l'intervention de nombreux peintres — alors impressionnistes — au théâtre. Mais c'est à partir de 1909, avec les Ballets russes, et de 1910, avec le théâtre des Arts et Jacques Rouché (1862-1957), que le mouvement prend toute son ampleur.

L'origine du courant constructiviste (ce terme est employé ici avec son sens général de « construction praticable ») se trouve formulée et mise en œuvre dans les ouvrages et les maquettes d'Appia : *la Mise en scène dans le drame wagnérien, la Musique et la mise en scène.*

Il se poursuit parallèlement au courant pictural, avec de fréquents points de rencontre, plus particulièrement à l'époque contemporaine, ces points de rencontre étant marqués soit par l'utilisation, dans un même décor, des ressources du constructivisme et de la peinture (et Appia n'a jamais exclu totalement la peinture), soit par le recours de certains metteurs en scène, alternativement, à l'un ou à l'autre de ces deux procédés.

Essayons de différencier ces deux courants par quelques considérations générales; nous montrerons ensuite quelques-unes des principales réalisations auxquelles ils ont donné lieu.

Le constructivisme paraît marquer une rupture brusque avec le passé. Sans doute peut-il être rattaché aux dispositifs du théâtre grec et du théâtre élisabéthain, et le romantisme lui-même ainsi que les propres mises en scène de Wagner contiennent quelques détails de plantation qui seront repris par nombre de constructivistes. Mais il s'agit en fait, beaucoup plus proche du théâtre grec, d'une économie, d'une sobriété de ligne, d'un goût du dépouillement et, issue du théâtre élisabéthain, de la conception d'une scène avancée et d'une construction permettant l'utilisation verticale de l'espace. Remarquons, cependant, que ces dernières formes répondent plus à un désir de multiplier les lieux qu'au souci de mettre en valeur les évolutions de l'acteur.

Avec le courant pictural, c'est la tradition des XVII^e, XVIII^e et XIX^e s. qui se poursuit dans le cadre architectural à l'italienne et subsiste avec quelques modifications secondaires. Mais le fait nouveau est le nombre étendu de peintres se substituant aux décorateurs professionnels.

### *Le courant constructiviste.*

Il est difficile de déterminer avec précision quels ont été, historiquement et géographiquement, les périodes et les pays qui ont été les plus marqués par cette tendance. Ainsi que nous l'avons déjà indiqué, le constructivisme n'a cessé d'avoir des adeptes dans tous les pays et à toutes les époques. Il faut tenir compte, cependant, du fait que, dans son développement, il s'est trouvé limité en raison de l'architecture de la majorité des édifices construits et utilisés depuis le XVII^e s. En Occident, les salles, dans leur grande majorité, étaient des constructions à l'italienne. Des transformations architecturales marquent le désir, arrêté par certains, d'adapter leur instrument aux exigences contenues dans les préoccupations constructivistes. On entreprend ainsi d'aménager la salle du théâtre du Vieux-Colombier à Paris (Jacques Copeau-Louis Jouvet, 1924) et la salle de l'Old Vic à Londres (Pierre Sonrel, 1950).

Parmi les différentes dispositions scéniques employées, on notera :

— l'avance latérale (*le Jardin de Murcie* [F. Gémier], décor prolongé sur les côtés de la salle, acteurs placés dans les avant-scènes);

— l'avance centrale (suppression de la rampe, avance du proscénium en éperon, marches terminales);

— la réalisation en plein air (Copeau-Barsacq ou Vilar

à Avignon : série de dispositifs distincts, plans inclinés, etc.).

Ces remarques étant faites, il est possible de distinguer des artistes chez qui, à la suite d'Appia, cette préoccupation fut prédominante.

Par exemple, en U.R.S.S., Meyerhold, Issaak Moisseïevitch Rabinovitch, Tairov et ses décorateurs, Aleksandr Aleksandrovitch Vesnine ou Alexandra Exter *(Salomé)* : combinaisons d'échafaudages, d'échelles, de passerelles; schématisation poussée à l'extrême; points d'appui et tremplins; mouvements mécanisés. En Allemagne : Karl Heinz Martin *(Franziska)*, Leopold Jessner, Piscator; aux États-Unis : Norman Bel Geddes *(Jeanne d'Arc)*; en Pologne : Leon Schiller; en France : nombre de réalisations de Camille Demangeat (festival d'Avignon), d'André Acquart *(les Nègres)*, de Jacques Bosson *(Mourir pour Chicago)*.

Les tentatives destinées à concilier les préoccupations constructivistes et picturales seront d'autant plus nombreuses en Occident que les salles à l'italienne restent, de loin, les plus utilisées : par exemple, il en ira ainsi en France de Georges Pitoëff pour *Macbeth* ou encore de Christian Bérard pour *les Fourberies de Scapin* et aux États-Unis de Lee Simonson pour *Man and the Masses.*

Dans la perspective des motifs inspirés par un souci d'austérité et de pureté, de mise en valeur des moyens propres à l'acteur, de réaction contre les abus du décor peint peut être placée la tendance extrémiste de jouer sur un plateau nu ou devant des rideaux ou des paravents.

Après Appia, les principes qui relèvent des courants constructivistes ont été formulés en termes particulièrement significatifs par Jacques Copeau : « Pour l'œuvre nouvelle un tréteau nu. [...] Symboliste ou réaliste, synthétique ou anecdotique, le décor est toujours le décor : une illustration. Cette illustration n'intéresse pas directement l'action dramatique, qui, seule, détermine la forme architecturale de la scène. Rien en ciment qui ne soit du ciment. Rien en bois qui ne soit du bois. Le moindre petit coup de pinceau est suspect d'hérésie. »

À partir des années 50, la tendance, ainsi définie, conduit à substituer au décorateur — ce terme pris dans son sens traditionnel — ou au peintre décorateur le décorateur-scénographe et, finalement, le scénographe spécialiste, architecte de la scène, constructeur chargé, sous la direction du metteur en scène, de la composition de l'espace de jeu dans les trois dimensions, des implications techniques de son animation et de l'aménagement du front de contact acteurs-spectateurs.

## *Le courant pictural.*

Les quelques observations qui précèdent suffisent à montrer que se manifeste partout le courant constructiviste, particulièrement intense en Russie, en Allemagne et aux États-Unis. L'histoire du décor en France, en Italie et en Angleterre est davantage marquée par une prédominance du décor peint. En France, cette prédominance procède, pour une grande part, de la contribution d'artistes français et d'artistes étrangers, réfugiés russes en majorité.

Quelques-uns des spectacles montés au théâtre d'Art et au théâtre de l'Œuvre eurent des décors de Maurice Denis, de Vuillard, de Bonnard, de Sérusier, de Toulouse-Lautrec, d'Odilon Redon, d'Eugène Carrière, de Roussel, etc.

Dès cette époque, il est possible de discerner chez certains un effort sérieux d'adaptation aux lois de la scène, lequel se traduit par la préoccupation non pas de montrer une toile (décor-tableau), mais de rendre l'action de la pièce, de renoncer au trompe-l'œil, de simplifier, de styliser au lieu de reconstituer, afin de ne pas éparpiller l'attention, de tenir compte de l'évolution rapide du jeu et de la nécessité d'agir sur le spectateur en des fragments de durée. Nombre d'idées mises en évidence par Gordon Craig en faveur d'un *décor-acteur* se trouvèrent ainsi, dans une certaine mesure, présentées ou retrouvées.

Mais ce sont les Ballets russes (1909-1914, 1917-1929) qui constituèrent dans le développement du courant pictural un événement déterminant.

Indirectement d'ailleurs, car l'accès des peintres au théâtre était déjà réalisé, ainsi que le prouvent les exemples que nous venons de citer. Ce qui intervint, ce fut l'éclatante révélation que constituèrent les réalisations de Léon Bakst et d'Alexandre Benois, et l'engouement extraordinaire qui en résulta. Les Ballets russes apportèrent une démonstration — pour ne nous en tenir qu'au décor et aux costumes — des pouvoirs scéniques de la couleur : harmonies imprévues; art violent et délicat, surtout au cours de la première période, qui va jusqu'en 1914 et fut impressionniste; la seconde, d'inspiration cubiste, se manifesta à partir de 1917. À Bakst et Benois se joignirent en 1913 Soudeikine, en 1914 Natalia Gontcharova, en 1917 Picasso, puis en 1919 Derain et Matisse, puis Juan Gris, Marie Laurencin, Braque, Utrillo, Rouault, De Chirico...

Du point de vue de la mise en scène proprement dite, la recherche d'un Bakst de résoudre au moyen du costume l'opposition relevée par les constructivistes entre le corps de l'acteur à trois dimensions et le décor à deux dimensions a constitué la tentative la plus intéressante.

Les Ballets suédois de Rolf de Maré eurent pour effet, de 1920 à 1925, de remettre en question dans l'esprit des artistes et des spectateurs nombre de principes que le succès des Ballets russes pouvait faire considérer comme acquis. Des peintres comme Bonnard, Laprade, Steinlen, Foujita, De Chirico apparaissent, pour la plupart, moins préoccupés par les exigences de la scène.

# préoccupations liées à chacun des deux courants théâtraux

## courant constructiviste

- Mettre en valeur le jeu, son mouvement, ses qualités plastiques (Appia, Copeau, Meyerhold).

- Préoccupations artistiques et techniques répondant consciemment à un besoin de se soumettre à des exigences spécifiquement dramatiques. Sentiment de pureté et d'austérité.

- Le costume supplée au manque de couleurs.

- La lumière prend une importance considérable, afin de mettre en valeur le corps de l'acteur, de suppléer au manque de couleurs, de créer l'atmosphère et de produire des effets d'ordre émotif.

## courant pictural

- Donner un cadre à l'œuvre; rendre le lieu, l'époque, l'instant; utiliser les ressources picturales des couleurs et des lignes, les jeux de couleur. À cela s'ajoute le souci d'utiliser au théâtre les dons picturaux des grands peintres.

- Adaptation scénique nécessaire et plus ou moins réalisée en pratique. Recherches sérieuses en ce sens chez un Bakst, un Fuerst, un Christian Bérard.

- Atténuer la contradiction du corps à trois dimensions devant une surface plane à deux dimensions en intégrant le décor dans le costume par des correspondances de lignes et de couleurs.

- Préoccupation d'éclairer à la fois le décor et les acteurs.

| | |
|---|---|
| ● Traduit chez ses représentants des préoccupations de participation, de communion : il implique des réformes architecturales de la scène (suppression de la rampe et du rideau). Il implique de vastes auditoires. | ● Est lié consciemment ou inconsciemment à des préoccupations de recul, de séparation entre la scène et la salle, la scène étant une suite de tableaux (au sens pictural) : théâtre de rêve, d'évasion pour auditoires restreints. |
| ● L'action se passe à l'extérieur ou dans de vastes édifices. | ● L'action se passe à l'intérieur, dans des espaces limités. |
| ● Architectures sphériques. | ● Architectures cubiques. |
| ● Tragédie, farce féerique, théâtre épique, thèmes sociaux. | ● Le drame, la comédie, le théâtre psychologique. |

Il est vrai que, parallèlement à l'activité des Ballets russes et deux ans après leur fondation (1911), Jacques Rouché, au théâtre des Arts, obtint des peintres, avec son collaborateur le metteur en scène Arsène Durec (1880-1930), une soumission plus effective aux exigences dramatiques. Ces peintres s'appelaient Maxime Dethomas, Jacques Drésa, René Piot, Dunoyer de Segonzac, Laprade, Charles Guérin.

Puis Jacques Rouché, quittant le théâtre des Arts pour prendre la direction de l'Opéra, réussit à imposer la collaboration de la plupart des peintres qui travaillèrent pour lui, auxquels vinrent s'ajouter un certain nombre d'autres : Maurice Denis, François Quelvée, Yves Alix, Maurice Brianchon, Paul Colin.

L'emploi de vastes espaces scéniques, le souci de mettre en valeur le jeu de l'acteur par des· plans inclinés, de compenser l'absence de décors par des costumes aux lignes et aux couleurs riches de significations impliqueront, comme au T. N. P. à Paris (direction Jean Vilar), le concours d'artistes authentiquement peintres comme Édouard Pignon.

Ces artistes vont retrouver la tentative précédemment signalée, visant à concilier le courant constructiviste et le courant du décor peint, selon les exigences de l'œuvre représentée et en tenant compte des possibilités offertes par l'architecture de chaque théâtre.

Ainsi, l'utilisation de l'espace scénique dans le sens de la hauteur s'est quelque peu assagie par rapport aux tentatives russes, allemandes ou polonaises.

La composition picturale ne fait que continuer les procédés utilisés depuis les XVIIe s. italien et français. On distinguera des décors composés selon soit une perspective axiale et symétrique (composition à l'italienne traditionnelle) [Jean Hugo pour *Phèdre*], soit une perspective désaxée, telle que Giovanni Niccolo Servandoni (1695-1766) et Ferdinando Bibiena (1657-1753) l'utilisèrent dès le XVIIIe s. (André Barsacq pour *Volpone*).

Après une mise en pratique des styles picturaux les plus divers — impressionnisme, cubisme, futurisme, etc. —, on assiste encore, sous l'effet conjugué des différentes tendances (influence du style de la commedia dell'arte, goût de la bouffonnerie parodique donnant l'impression de l'improvisation, désir de mêler à l'action, dans de petits cadres scéniques, des intermèdes inspirés de numéros de cabarets ou des sketches de cirque et de music-hall), à l'emploi de décors composés d'éléments légers. Tel fut l'apport très original à Paris, à partir de 1946, de la compagnie Grenier-Hussenot, avec le décorateur Jean-Denis Malclès, repris par quelques autres compagnies, notamment par le Centre dramatique de l'Ouest, dirigé par Hubert Gignoux, puis, plus récemment, à Paris, par le Grand Magic Circus (1970) ou certains spectacles des cabarets et de cafés-théâtres.

Les techniques renouvelées d'éclairages et de projections d'images permettent deux catégories de réalisations : les unes sont liées au courant pictural (décors projetés, emploi de la lumière noire); les autres, intervenant indifféremment dans les cadres architecturaux les plus variés, introduisent, par le film ou la projection sur différents écrans de montage de diapositives, la reproduction de documents authentiques qui éclairent l'action dans les spectacles engagés. Les recherches d'un Josef Svoboda en Tchécoslovaquie, d'un Jean-Marie Serreau ou d'un Michel Rafaëlli en France prolongent les réalisations déjà anciennes d'Erwin Piscator et de quelques autres.

## mise en scène et architecture théâtrale

Tel qu'il vient d'être schématiquement analysé, l'extraordinaire mouvement de rénovation du théâtre à travers la mise en scène devait entraîner des conséquences pratiques et théoriques importantes dans le domaine de l'architecture théâtrale, qu'il s'agisse des modifications apportées aux édifices existants ou de l'élaboration de projets ou de constructions nouvelles.

L'analyse des propositions ou des réalisations dues aux metteurs en scène eux-mêmes, Antoine, Appia, Craig, Meyerhold, Reinhardt, Copeau, Jouvet, Artaud, Polieri, Grotowski, Ronconi et d'autres, est développée dans le chapitre consacré à l'« espace théâtral ».

# 3. Lieu et espace théâtral

*par André Veinstein*

Le mot *théâtre* désigne à la fois un lieu et un art. Originellement, *théâtre* vient du grec *theatron,* qui contient l'idée de « voir ». Ainsi, l'étymologie et le langage courant établissent un lien, valable à la fois pour le passé et le présent, entre :

— le fait de voir;

— sur un certain espace et en un certain temps;

— un ensemble original de manifestations.

Constituant le spectacle, ces manifestations réunissent tous les moyens d'expression artistique : littéraires, musicaux, chorégraphiques, picturaux et plastiques. Aux moyens mis en œuvre correspond l'emploi des techniques les plus diverses : certaines propres au jeu de l'acteur (techniques vocales, techniques gestuelles, techniques liées à la composition et à la projection du personnage), d'autres propres à la conception et à l'exécution des décors et des costumes, à la machinerie, à la lumière et aux sons.

Art indépendant et total, par le concours de ces moyens et de ces techniques, le théâtre peut aussi être considéré comme total par la diversité, l'universalité des thèmes (personnages, situations, actions) qu'il peut représenter : l'homme, le monde, sous leurs aspects les plus variés — physiques, psychologiques, sociologiques et métaphysiques.

Les brèves remarques qui précèdent permettent

d'entrevoir les fonctions traditionnelles du lieu théâtral : assembler et abriter; permettre à certains de présenter un spectacle; à d'autres de le voir.

En outre, ce lieu, qui est un univers réel, construit et aménagé, a, en même temps, vocation de représenter ou de suggérer toutes sortes d'univers imaginaires.

Un recensement des lieux utilisés actuellement pour le théâtre permet de distinguer :

— des lieux spécialement construits (par exemple, les théâtres antiques, grecs ou romains, les théâtres dits « à l'italienne »);

— des lieux spécialement choisis en raison de leurs caractères historiques, géographiques et de leurs qualités dramaturgiques (plein air, festivals);

— des lieux spécialement aménagés (gymnases, marchés, hangars);

— des lieux théâtralement improvisés (théâtre de rue).

À cette variété impressionnante de lieux utilisés correspond, depuis une vingtaine d'années, une intense réflexion théorique attestée par des projets d'architecture et des publications, ainsi que par des réunions nationales et internationales de spécialistes et la création d'organismes d'étude. Tributaires, dans une certaine mesure, de l'application aux moyens d'expression scénique des découvertes résultant des progrès de la science et de la technologie, ces expériences et ces réflexions s'inscrivent elles-mêmes parmi les multiples et profondes tentatives de réforme théâtrale des quatre-vingts dernières années, plus particulièrement à travers les recherches du Suisse Adolphe Appia et de l'Anglais Edward Gordon Craig, qui avaient placé, l'un et l'autre, au centre même de leur doctrine, la redécouverte des rapports réciproques qui lient espace, architecture et jeu dramatique.

Mais la complexité même de cet art a eu pour conséquence que les tentatives postérieures ont été menées, trop souvent, de façon fragmentaire et sans que soient établis des liens entre elles. Tout en admettant la spécificité artistique du théâtre, les auteurs des réformes proposées en matière d'architecture théâtrale, de mise en scène, de jeu, de décors, d'éclairage, de musique, n'ont pas suffisamment mis en lumière les rapports organiques que la pratique instaure nécessairement entre ces différents moyens d'expression.

C'est donc à travers le réseau de rapports établis par la pratique et la théorie liant ces différents moyens d'expression que l'évolution de la notion d'*espace théâtral* gagne à être exposée.

## les théâtres à l'italienne

En fait, les observations présentées mettent en question un certain type d'architecture selon les principes essentiels adoptés en Italie, il y a trois siècles, et repris à l'occasion de la construction de la majorité des salles utilisées dans la plupart des pays.

Schématiquement, chaque édifice s'inscrit dans un rectangle composé de deux parties séparées : la scène et la salle. La scène est fermée verticalement par un rideau. Un cadre et une rampe entourant ce rideau contribuent à dissimuler aux yeux du public les agencements techniques. Des toiles peintes disposées sur les parois du cube scénique et plantées verticalement sur le plancher figurent en perspective et en trompe l'œil le lieu et certains des accessoires de jeu.

L'espace réservé aux spectateurs est constitué de plusieurs étages en partie divisés en loges, donnant ainsi lieu à une disposition hiérarchisée reflétant les divisions et ségrégations sociales, économiques, historiques et contemporaines. Dans le meilleur des cas, seule la moitié des spectateurs a une perception visuelle et auditive satisfaisante. Dans certains édifices, une fosse d'orchestre accentue la rupture entre la scène et la salle.

Des exemples caractéristiques de ce type d'architecture nous sont offerts en Italie par le teatro della Fortuna à Fano (Giacomo Torelli, architecte), le teatro Falcone de Gênes (Giovanni Angelo Falcone, architecte), deux théâtres construits au XVIIᵉ s.

Au XVIIIᵉ s., deux autres exemples sont fournis par le teatro delli Quatro Cavalieri à Pavie (Antonio Galli Bibiena, architecte) et le théâtre communal de Bologne (même architecte).

En France, le Grand-Théâtre de Lyon (1754-1756, J. G. Soufflot, architecte) et le Grand-Théâtre de Bordeaux (1773-1780, Victor Louis, architecte) apparaissent comme particulièrement caractéristiques.

Un traité, paru en 1812, *l'Art de la charpente* de Jean-Charles Krafft, donne les cotes idéales du théâtre à l'italienne : 15 m de profondeur pour la salle, 20 m de profondeur pour la scène. Dessous, sur trois étages, des dégagements entourent la scène. La variété et l'abondance des équipements techniques justifieront le terme de « boîte à miracles » appliqué à cette forme architecturale avec des nuances diverses.

## Texte, partition et espace.

● *Première observation.* Les œuvres dramatiques et lyriques appartenant au répertoire occidental des XVIIᵉ et XVIIIᵉ s. paraissent seules trouver — les conditions défectueuses de réception pour une partie de l'assistance mises à part — leur espace et leur lieu appropriés.

Les grandes œuvres antérieures étaient représentées dans des structures spatiales constantes très différentes : du théâtre grec, celles du théâtre élisabéthain, notamment.

● *Deuxième observation.* Les mêmes édifices accueillent indistinctement toutes les œuvres appartenant au répertoire moderne.

● *Troisième observation.* Nombre d'analyses dramaturgiques récentes dues à des metteurs en scène, à des dramaturges ou à des théoriciens, les exigences d'une mise en forme plus rigoureuse des suggestions vocales, gestuelles et spatiales incluses dans certains textes ou dans certaines partitions, confirment, indirectement pour les œuvres anciennes, le rapport nécessaire entre des œuvres et les structures spatiales (scène, salle) qui leur furent contemporaines et affirment, à propos des œuvres nouvelles, la nécessité de composer, pour chacune d'elle, l'espace et le front de contact acteurs-spectateurs qu'elles requièrent.

### Acteur et espace.

● *Première observation.* Que praticiens et théoriciens considèrent l'acteur comme l'instrument principal du jeu dramatique ou, simplement, comme l'un de ses éléments, ce dernier apparaît, avec son corps à trois dimensions, comme une architecture mobile; ses déplacements et ses mouvements dessinant et suggèrant un certain espace.

Cette suggestion risque d'être limitée par l'univers angulaire et cloisonné que constitue la scène du théâtre à l'italienne.

● *Deuxième observation.* En harmonie avec le corps de l'acteur, l'espace qui le porte et l'environne ne peut être que tridimensionnel. Un dispositif architecturé, praticable, des plans inclinés et des escaliers permettent à l'acteur de mettre pleinement en valeur ses moyens d'expression gestuels et corporels en utilisant les qualités proprement dramaturgiques de l'architecture même du dispositif.

● *Troisième observation.* Selon la place que l'acteur occupe sur scène, par rapport à ses partenaires, par rapport aux accessoires et par rapport au public, ses mouvements d'un point à un autre lui confèrent par eux-mêmes une forme dramatique de communication variable, mais d'autant plus accentuée que l'acteur sera dégagé des attitudes et des mouvements que l'espace traditionnel à l'italienne risque de rendre stéréotypés et conventionnels.

### Décors, dispositifs et espace.

● *Première observation.* Au cube scénique de l'architecture à l'italienne est lié l'emploi de décors, de toiles peintes, le « décor-tableau » sur deux dimensions, en contradiction avec le volume que constitue le corps de l'acteur. Le lieu de l'action, estime-t-on, ne peut être exclusivement figuré : il doit *constituer* un lieu et, pour cela, être construit en fonction du corps de l'acteur, de son évolution dans les trois dimensions et de la projection des signes dont il est l'émetteur.

● *Deuxième observation.* L'enveloppe du cube éclate, le « décor » architecturé, praticable, force à substituer au cadre à images un dispositif architecturé dans une enveloppe dont les angles disparaissent, ou en dehors de toute enveloppe : édifices sphériques ou lieux de plein air.

● *Troisième observation.* L'emploi de l'éclairage étant rendu de plus en plus maniable, puissant et varié, notamment avec la lumière-décor ou avec le dérivé de la lumière que constituent les projections, des espaces nouveaux peuvent être utilisés sans être construits au moyen des agencements techniques du théâtre à l'italienne. On peut faire la même observation à propos des sons, plus particulièrement des techniques de prise de son, qui permettent d'opérer des corrections acoustiques dans les lieux les plus variés.

### Mise en scène et espace.

● *Première observation.* Une mise en scène qui se veut fidèle à l'œuvre se doit, si l'œuvre est ancienne, de respecter les conditions spatiales originelles de la représentation, et, si elle est moderne, les exigences spécifiques de sa traduction spatiale.

Or, les premières, celles du théâtre grec, du théâtre du Moyen Âge, du théâtre élisabéthain, nous l'avons vu, sont toujours en contradiction, et les secondes, fréquemment en contradiction avec les conditions offertes par le théâtre à l'italienne. Au surplus, dans tous les cas, la conception de l'espace réservé au public — sauf désir de reconstitution archéologique — est en contradiction avec les modes de perception propres au public contemporain.

● *Deuxième observation.* À plus forte raison, une mise en scène qui se prétend créatrice et libre exclura l'emploi de structures fixes telles que celles du théâtre à l'italienne.

## Public et espace.

● *Première observation.* Qu'elle se réfère à l'un ou à l'autre type de rapports acteurs-spectateurs — identification ou distanciation —, la communication instaurée entre acteurs et spectateurs doit être perçue par l'ensemble du public dans des conditions techniques satisfaisantes : or, ces conditions ne sont plus remplies par les salles à l'italienne.

● *Deuxième observation.* Cette même conclusion peut être tirée de l'évolution, chez le public, des conditions de perception et des modifications du goût qui en résultent. Parmi les facteurs récents de cette évolution, notons, par exemple, que la peinture, avec le cubisme, accoutumera le public à une dissociation des plans et à la présentation sur une même toile des différentes faces d'un même sujet. Le cinéma, la radio et la télévision ont introduit une accélération, une variété et une simultanéité accrues des messages émis.

● *Troisième observation.* Fonder les rapports acteurs-spectateurs sur des sentiments d'identification, de participation, d'échanges ou de jugements critiques implique, de la part du public, un apport positif, 85 incompatible, semble-t-il, avec l'attitude passive qui lui est imposée par la configuration des espaces salle-scène propre au théâtre à l'italienne.

Nombre des observations qui précèdent ne sont pas seulement le résultat d'une approche historique ou théorique : elles procèdent fréquemment d'une expérience vécue en dehors des salles traditionnelles à la fois par des chercheurs et par certains des plus grands praticiens du théâtre moderne : au cours de la seconde moitié du XIX$^e$ s., des spectacles de plus en plus nombreux sont donnés dans les anciens théâtres grecs et romains, par exemple.

Dès la fin du XIX$^e$ s., E. W. Godwin en Angleterre (1886), Lugné-Poe en France (1898), Max Reinhardt en Allemagne (1910), Gémier en France (1919) montent différents grands spectacles dans des cirques. On assiste également à l'utilisation de plus en plus fréquente d'espaces de plein air : stades, places, lieux historiques (de la place Rouge à Moscou à la place de la Seigneurie à Florence, au palais des Papes à Avignon) ou, simplement, lieux présentant, à un titre quelconque, un intérêt scénographique.

Ce tableau impressionnant de griefs — dressé en les empruntant aux réformateurs du théâtre moderne, metteurs en scène, architectes, scénographes, théoriciens —, assorti de propositions, suivis de projets et de réalisations, débouche, d'une part, sur des modifications apportées aux théâtres à l'italienne existants et, d'autre part, sur de nouvelles conceptions architecturales de l'espace théâtral.

L'exposé des exemples marquants qui illustrent ces deux catégories de travaux doit néanmoins être précédé de quelques considérations qu'impose la survie — voire le développement — de l'architecture à l'italienne constatée, elle aussi, un peu partout dans le monde.

En face des attaques qui viennent d'être résumées,

l'architecture à l'italienne a trouvé d'illustres utilisateurs et défenseurs. Parmi ses plus brillants partisans, Louis Jouvet a soutenu qu'au théâtre à l'italienne restait attaché le rare privilège d'avoir satisfait pendant près de trois siècles aux répertoires les plus variés et aux publics les plus différents, ses défauts mêmes pouvant être considérés comme féconds, si l'on en juge par les trésors d'intelligence et d'astuce qu'il a suscités.

Parmi les utilisateurs, citons Bertolt Brecht, qui n'a pas craint d'installer le Berliner Ensemble à Berlin-Est dans un théâtre à l'italienne des plus conventionnels — apparemment satisfait du rapport salle-scène de ce type de théâtre, en accord avec sa théorie fameuse de la distanciation.

De même, des constructions relativement récentes — le théâtre de Nowa Huta, édifié après la Seconde Guerre mondiale au cœur de cette ville nouvelle construite à proximité de Cracovie, ou l'Opéra de Berlin-Est, reconstruit en 1955 — relèvent des principes de l'architecture à l'italienne.

À ces différentes remarques peuvent s'ajouter : le souci sentimental de reconstituer fidèlement nombre de théâtres détruits au cours de la dernière guerre (tel sera le cas de l'Opéra reconstruit à Munich); l'obligation de conserver certains édifices classés (l'enveloppe du Théâtre de la Ville à Paris); la nécessité de respecter les règles de sécurité imposées par certains pays (l'architecture à l'italienne, par le cadre de scène et le rideau de fer, permet d'isoler de la salle la scène, autour de laquelle se trouvent concentrés la plupart des équipements techniques).

## modifications apportées aux salles anciennes

Motivées par les observations qui précèdent, les principales transformations qui ont été opérées dans les théâtres à l'italienne concernent, certaines, la scène, d'autres les rapports de la scène avec la salle, d'autres enfin la salle elle-même : pour le metteur en scène, le décorateur ou le scénographe, le souci de libérer l'espace de jeu des limites et des contraintes attachées aux volumes cubiques qui le constituent les ont conduits à employer un certain nombre de procédés permettant d'intégrer, dans ce volume, différents types de dispositifs construits. En voici quelques exemples :

— décor constitué de panneaux séparés montés sur une structure squelettique et présentant une série de surfaces disparaissant successivement au cours de l'action (*le Tartuffe,* mise en scène de Roger Planchon, décor de René Allio, théâtre de la Cité de Villeur-banne, 1962);

— architecture tubulaire avec emplacements de jeu à différents niveaux; les parois du cube scénique, tendues de noir, disparaissent aux yeux du spectateur et cessent ainsi de contraindre les mouvements de l'acteur, les éclairages étant au surplus concentrés sur ces derniers (*les Nègres,* mise en scène de Roger Blin, décor d'André Acquart, théâtre de Lutèce, 1959);

— emploi d'accessoires et de constructions de dimensions réduites divisant symboliquement le plateau en différents espaces de jeu (*Marchands de villes,* création collective de la troupe de l'Aquarium, T. N. P., salle Gémier à Paris, 1972);

— projections sur écrans de diapositives ou de films : sorte de fenêtre ouverte sur d'autres lieux, ou sur un passage d'un lieu à un autre (*les Âmes mortes,* d'après Gogol, mise en scène de Roger Planchon, décor de René Allio, Odéon-Théâtre de France, 1960).

En dehors de ces réussites occasionnelles dues à l'ingéniosité de quelques décorateurs et metteurs en scène, les modifications durables qui ont été apportées à nombre de salles, ou à l'occasion de la construction de salles nouvelles, tout en retenant le principe de présentation frontale de l'architecture à l'italienne, ont consisté couramment à établir une continuité (niveau, plafond technique, murs latéraux) entre scène et salle et ont conduit à la suppression du rideau de scène et de la rampe et à l'adjonction à la scène d'un proscenium.

En plus de ces réformes, un suréquipement en machinerie et en éclairage doit permettre, dans l'esprit des promoteurs, de pallier certains défauts précédemment énoncés. Notons d'ailleurs qu'à l'origine même de la construction des théâtres à l'italienne certains décorateurs et architectes avaient conçu des dispositifs de liaisons salle-scène : escalier de proscenium, praticable fixe (Serlio) ou escamotable; mais ces mesures, surtout utilisées pour des ballets, demeurent exceptionnelles.

À Wagner et à ses architectes, Gottfried Semper (1803-1879) ou Otto Brückwald (1841-1904), revient, en 1876, d'avoir lié, les premiers, la construction d'un lieu à une réforme globale de l'art théâtral. À Bayreuth, la notion de « théâtre art total » impose de renouveler le circuit émission-réception. La recherche de l'unité salle-scène conduit à dissimuler l'orchestre sous le proscenium et à prolonger les coulisses le long des murs latéraux de l'édifice.

*Le Roi Lear,* interprété à l'Hoftheater de Munich en 1889, est l'occasion de reconstituer, au moyen de marches aménagées au-dessus de la fosse d'orchestre, l'éperon élisabéthain et son front de contact.

Une transformation analogue sera opérée au Théâtre d'État de Malmö et au Grosses Schauspielhaus de Berlin en 1919. De la même façon, une scène avancée peut être projetée au récent Vivian-Beaumont Theater du Lincoln Center à New York. Le Théâtre Pigalle à Paris (1929), avec sa cage de scène traditionnelle et ses quatre scènes interchangeables sur ascenseurs, traduit le même souci d'adapter à la scène à l'italienne les équipements les plus modernes. Des solutions analogues ont été adoptées à l'Opéra de Berlin-Est en 1955 et à l'Opéra de Leipzig, avec leur fosse d'orchestre sur ascenseur, leur plateau mobile portant trois décors, le sol étant divisé en plusieurs plans montés également sur ascenseurs, le tout pouvant être aménagé en scène tournante et l'utilisation de deux cycloramas en profondeur pouvant être prévue.

À Paris, au Théâtre de la Ville (1968), salle dont l'enveloppe architecturale classée a dû être conservée, le plateau, modelable, est constitué d'un damier dont chaque élément peut être élevé ou abaissé au moyen de vérins hydrauliques. L'ouverture du cadre de scène est modifiable et peut disparaître à la limite. Un proscenium peut être aménagé sur la fosse d'orchestre. Aux balcons et aux loges a fait place une série continue de gradins.

En face de ces transformations, et en contradiction avec ce déploiement de machines et d'appareillages, se place la réforme introduite, il y a une quarantaine d'années, par Jacques Copeau et Louis Jouvet au théâtre du Vieux-Colombier : suppression du rideau et de la rampe, proscenium, marches entre scène et salle, mais dispositif synthétique, abstrait, permanent pour certaines de ses structures, adaptable à chaque œuvre au moyen de dispositifs et d'accessoires supplémentaires, mettant en pleine valeur, par son dépouillement et sa rigueur, le jeu de l'acteur et, par suite, le texte.

## les nouvelles conceptions de l'espace théâtral

En dehors des solutions de compromis qui viennent d'être évoquées, les conséquences logiques des observations présentées à propos de l'architecture à l'italienne ont orienté les réformateurs des vingt dernières années (metteurs en scène, scénographes, architectes) vers les différentes solutions qui suivent :

— une première, qui a pour objectif principal de

pouvoir reconstituer, dans un seul édifice, plusieurs types d'espaces théâtraux d'intérêt culturel;

— une deuxième, qui répond au souci de créer dans un même lieu fixe des structures nouvelles de jeu et de nouveaux rapports acteurs-spectateurs;

— une troisième, qui, soit dans un édifice construit, soit sur un lieu choisi, soit encore sur un lieu théâtralement improvisé, conduit à créer des espaces et des rapports acteurs-spectateurs renouvelables;

— une quatrième, qui débouche sur la conception d'espaces originaux constituant la structure même de manifestations spectaculaires distinctes du spectacle théâtral traditionnel, ou sur la notion d'espaces dramatisés dans des domaines étrangers au théâtre (architecture, urbanisme).

Ces projets et ces réalisations récentes — dont certaines relèvent de ces différentes tendances à la fois —, opposés à la fixité et à la rigidité de l'architecture à l'italienne, accentuent encore, par là même, cette exigence de polyvalence et de « flexibilité » spatiale propre à toutes ces recherches.

### Les édifices d'intérêt culturel.

Nous avons affaire ici à des architectures modifiables, chacun des états de la transformation opérée reconstituant une scène et des rapports scène-salle classiques : théâtre antique, théâtre élisabéthain, théâtre à l'italienne, théâtre en rond. Certains architectes et historiens considèrent cette dernière structure comme la cellule mère du théâtre. Prévus pour donner devant un public relativement nombreux (de 700 à 1 200 places) les grandes œuvres du répertoire dans leur cadre de présentation originelle, ces théâtres constituent le plus souvent le foyer principal de ces maisons de la culture dont un vaste programme de construction se trouve en voie de réalisation dans de nombreux pays.

Pierre Sonrel, architecte, et Camille Demangeat, scénographe, pour le théâtre de la maison de la culture d'Amiens (1965), ont prévu, par une rotation, qui peut être effectuée pendant le jeu, d'une partie du public et d'une partie de la scène, de faire passer le front de contact de l'avant-scène traditionnelle à la scène en éperon, à la scène projetée dans la salle ou à une scène centrale de forme circulaire. Au même architecte avait été confiée la reconstruction du théâtre de l'Old Vic à Londres en 1950 : l'orchestre grec, le dispositif élisabéthain en éperon ou une scène traditionnelle avec rampe peuvent être reconstitués. D'autres structures plus libres sont envisageables au service d'un répertoire moderne. Des principes analogues ont été appliqués par le même architecte à la salle devenue le Théâtre national de Strasbourg (1955).

Un projet — dû au scénographe René Allio et à l'Atelier d'architecture et d'urbanisme — pour le théâtre destiné à une future maison de la culture à Villeurbanne près de Lyon a été réalisé à Hammamet, en Tunisie. Les structures de toutes les architectures classiques peuvent être reconstituées par un ingénieux dispositif mécanique de cloisonnement. La partie réservée au public, traitée en amphithéâtre de forme elliptique, peut être réduite à volonté par un système de rideaux coulissant sur un gril.

Dans la même perspective, citons l'exemple fourni par le théâtre transformable automatique de l'université Harvard, dû à l'ingénieur George Azenour en 1960 : à partir d'un pupitre de commande électrique, un seul opérateur peut mettre en mouvement trente treuils électriques réunis et synchrones disposés autour du fond de scène et permettant de manœuvrer tous les éléments du décor. D'autre part, à partir de deux points de commande, deux opérateurs peuvent manœuvrer un système souterrain d'ascenseurs et de pivots permettant de donner en quelques minutes au théâtre l'une quelconque des trois formes possibles : scène à l'italienne, scène en éperon et scène centrale.

Il n'est pas surprenant que la faculté de reconstituer

les cadres architecturaux des grands répertoires classiques soit également prévue dans des ensembles ambulants capables de s'implanter au cœur des centres populaires privés de théâtres fixes. C'est à ce besoin que répondent les conceptions dues, par exemple, à l'architecte espagnol Emilio Pérez Pinero, ou encore à l'architecte allemand Herbert Ohl ou au scénographe polonais Jerzy Gurawski.

### Espaces nouveaux fixes ou mobiles.

Les projets et les réalisations qui vont être passés en revue n'ont pas été conçus comme les précédents, en fonction de formes architecturales fixes, traditionnelles, instruments d'un répertoire vénérable, la nouveauté résidant dans la faculté de composer, précisément, ces différentes formes dans le cadre du même édifice : elles tendent à proposer de nouvelles possibilités d'aménagement de l'espace théâtral. Ici — sauf quelques cas expérimentaux —, l'instrument précède et (grief qui ne manque pas d'être formulé) attend un répertoire.

À une scène et à un auditorium séparés sont substitués :

— soit une scène ou une série de scènes entourant le public;

— soit un auditorium entourant une scène;

— soit une série d'îlots acteurs-spectateurs éparpillés.

Les exemples relevant des combinaisons architecturales prévoyant une scène centrale sont nombreux dans le monde et aux États-Unis notamment.

En faveur de cette solution sont invoqués les motifs suivants :

— retour à la source la plus ancienne et la plus spontanée de participation;

— contacts plus directs entre acteurs et spectateurs;

— perception pratiquement d'égale qualité des différents points de la salle.

En 1924, le « théâtre sans fin » de F. Kiesler prévoit    93 des aires de jeu disposées sur une spirale centrale permettant d'utiliser l'espace dans les trois dimensions, le public entourant ce dispositif.

En 1930, avec le « théâtre simultané » des Polonais Szymon Syrkus et Andrzej Pronaszko, les spectateurs se trouvent plongés dans la simultanéité des événements d'une action qui, répondant aux caractéristiques de la vie moderne et à l'évolution de nos modes de perception, se situe matériellement au milieu d'eux. Le laboratoire de théâtre *Art et action* reprendra ce même principe à l'Exposition internationale des arts et techniques de Paris de 1937. Mais l'aboutissement architectural d'un espace unique acteurs-spectateurs, préconisé après Appia par Syrkus, a inspiré plus récemment, pour des motifs identiques, des architectes ou plasticiens comme Agam, Claude Parent, un auteur comme Michel Parent et un metteur en scène comme Jean-Marie Serreau, à l'occasion de la conception d'un spectacle simultané entourant un groupe de spectateurs. Ce « théâtre à scènes multiples en contrepoint » a fait l'objet d'un premier essai à Dijon en 1963. Pour Serreau, le public sollicité par la multiplicité des événements de la vie moderne, imprégné des rythmes auxquels le soumettent le cinéma et la télévision, obéit à une nouvelle perception du spectacle. Toujours selon Serreau, il importe que le spectateur puisse être sollicité de façon hasardeuse, comme dans la vie, de tous les côtés à la fois, et qu'il construise son propre spectacle lui-même. Le public peut être entouré par des plateaux annulaires mobiles (théâtre de la maison de la culture de Grenoble). À l'inverse, des amphithéâtres rotatifs ont été conçus en Tchécoslovaquie, au château de Český Krumlov (Brems, scénographe) et, en Finlande, au théâtre de Tampere, qui comprend huit cents places.

Ces dernières conceptions permettent au public d'être placé successivement devant différentes aires de jeu, dont le décor a été précédemment planté, et de donner aux spectateurs un sentiment · physique de participation au déroulement du spectacle.

## *Espaces transformables à volonté.*

À la suppression des deux aires traditionnelles, scène et salle, devait correspondre une autre mesure radicale, celle de la disparition de toute structure architecturale fixe. Sur un espace clos, un agencement tridimensionnel, spécialement composé à l'occasion de chaque spectacle, apparaît, pour nombre d'architectes et d'ingénieurs, comme un aboutissement logique.

Dès 1922, Gordon Craig songeait à un « espace vide » à l'intérieur duquel il conviendrait de dresser, pour chaque nouveau type de pièces, une nouvelle sorte de scène et d'auditorium temporaires. Songeant, en 1927, à ce qu'il a appelé le « théâtre synthétique », Walter Gropius observait que l'architecture devait permettre à l'instrument théâtral d'être « aussi impersonnel, aussi souple et aussi transformable que possible, afin de ne déterminer d'aucune façon la mise en scène et de laisser s'exprimer les conceptions les plus diverses ». Avec son projet de « théâtre total » (1927), Gropius franchit, en quelque sorte le premier, le passage des espaces traditionnels aux espaces nouveaux (théâtre en forme d'œuf comprenant une scène annulaire disposée autour du public, lui-même enserrant un plateau circulaire qui peut être utilisé — avec changement possible au cours du jeu — comme avant-scène, scène en éperon ou scène centrale).

Antonin Artaud, après avoir rêvé à un « théâtre spontané » au milieu des usines, préconisait en 1932 l'abandon des salles traditionnelles pour « un hangar ou une grange » reconstruit « selon les procédés qui ont abouti à l'architecture de certaines églises ou de certains lieux sacrés... ». Sous le même titre de « théâtre spontané », l'architecte Le Corbusier proposait vers 1955 des tréteaux installés sur les chantiers des grands ensembles en construction et sur lesquels les ouvriers improviseraient des sketches inspirés par les misères et les cocasseries de la vie quotidienne.

En Tchécoslovaquie, Josef Svoboda se prononçait pour « un grand espace absolument libre et variable qui permettrait à l'animateur de décider, pour chaque spectacle, des structures de la scène, du nombre de spectateurs et de leur position [...], de supprimer le décor mort [et de] le remplacer par un espace infiniment modelable, défini par des éléments mobiles en perpétuelle composition et recomposition... ».

Le projet de Werner Ruhnau et Jacques Polieri, présenté au concours de Düsseldorf en 1958 sous le nom de « théâtre mobile », peut illustrer cette même tendance. Dans ce projet, des podiums élévateurs en forme de prismes hexagonaux couvrent toute la surface du théâtre (scène et salle à la fois), permettant un assemblage parfait. Les fauteuils réservés aux spectateurs pivotent et sont amovibles. Il en est de même du projet de théâtre expérimental à transformations multiples de l'architecte français Alain Bourbonnais. Les dimensions et la forme de la scène et de la salle peuvent être modifiées à volonté. Le plancher forme un hexagone, et le plafond un hexagone plan correspondant, leur surface constituant une sorte de mosaïque de triangles équilatéraux, réglables verticalement. Citons encore l'exemple du théâtre à transformations multiples ambulant d'Ohl, prévu pour cinq cents places et dont les éléments peuvent être transportés sur deux wagons. La scène se développe selon diverses combinaisons et comporte une ouverture permettant d'intégrer le jeu dans le paysage réel. Enfin, le « théâtre variable » de Raimund von Doblhoff (Vienne, Augsbourg) se présente comme le plus riche en combinaisons, depuis les structures traditionnelles jusqu'aux aménagements les plus libres : scène circulaire autour des spectateurs, théâtres antique, élisabéthain, à l'italienne, scènes multiples, dispositifs à passerelles, aire de jeu visible à 360$^0$, etc.

Le Théâtre-Atelier de Belgrade (Bojan Stupica, architecte) comprend dix variations possibles à partir de trois combinaisons principales. Les petites salles des théâtres de Gelsenkirchen, de Mannheim, de Budapest permettent, elles aussi, la composition d'espaces et de rapports acteurs-spectateurs les plus variés.

Récemment, la petite salle théâtrale d'essai de la *Cité des arts* à Ottawa a été construite selon les mêmes principes.

Une libération totale des contraintes liées à l'architecture a conduit nombre de troupes contemporaines à rechercher les lieux (gymnases, terrains de basket-ball...) « à tout jouer », des lieux où tous les types d'espaces et de rapports peuvent être réalisés : le studio de télévision, volume totalement disponible et suréquipé, apparaît, à certains, comme le lieu théâtral idéal.

Deux exemples constituent des étapes importantes de l'évolution de l'espace théâtral.

— Dans un pavillon des anciennes Halles de Paris (mai 1970), *Orlando furioso,* d'après l'Arioste, a été présenté par le Théâtre-Libre de Rome dans une mise en scène de Luca Ronconi et une scénographie d'Uberto Bertacca. Les aires de jeu étaient composées de deux théâtres à l'italienne, une aire « neutre » où jeu et spectateurs se trouvaient mêlés; des chariots, certains constituant des aires mobiles de jeu, intervenaient par moment sur l'aire neutre, d'autres représentaient des accessoires du spectacle : un espace libre permettait ainsi de reconstituer, selon l'action, la place publique d'une cité médiévale et le théâtre de cour de la Renaissance italienne.

— À Vincennes, le théâtre du Soleil s'installa en 1971 dans d'anciens locaux militaires désaffectés. Le premier de ses spectacles en ce lieu, *1789,* se déroulait sur un espace de 26 m sur 4. Cinq tréteaux reliés par des passerelles avaient été aménagés sur cet espace.

97

Le public, assis sur des gradins dont une partie se trouvait à l'extérieur, l'autre à l'intérieur des aires de jeu, pouvait se déplacer librement au cours de l'action. *1793,* deuxième spectacle interprété par la même troupe dans ce même lieu, comportait un aménagement différent : deux espaces, séparés par un rideau, répondaient à deux moments de l'action. Le public accédait à un premier espace planté d'un praticable de 15 m sur 4 sur lequel une parade permettait d'évoquer l'histoire des années 1791-92; puis, sur un second espace évoquant les locaux qu'aménageaient les sans-culottes pour y tenir leurs assemblées, trois tables de bois massives constituaient les aires principales de jeu. Les spectateurs étaient disposés, assis ou debout, sur une galerie à double étage et sur des gradins.

### *Lieux et espaces théâtraux improvisés.*

L'exploitation dramaturgique de sites ou de lieux historiques a été l'occasion de multiplier les festivals et de favoriser ainsi la découverte d'espaces nouveaux. D'autre part, grands magasins, parkings et autres lieux théâtralement insolites ont fourni, au cours de la mode éphémère du *happening,* vers 1960, quelques-uns des prétextes de sociodrames pour spectateurs-acteurs, révélant ainsi spontanément — entre autres apports — la valeur dramaturgique de certains espaces et de certains contacts facilités par ces espaces.

Un autre type d'interventions, celles d'un théâtre politique, révolutionnaire, illustré par les troupes d'Agit-Prop (agitation-propagande) ou du théâtre de rue et du théâtre de guérilla, échappe, en revanche, à l'attraction d'un lieu et tend à toucher un public nouveau là où il se trouve : places, rues, cours d'usine, marchés, parcs, camps de travail, lieux de meeting des syndicats, etc. La San Francisco Mime Troop, fondée en 1959, ou l'El Teatro Campesino, théâtre des ouvriers agricoles, à partir de 1965 en Californie, le

Bread and Puppet Theatre à partir de 1965, le teatro de la Carriera à partir de 1970 dans les villages du sud de la France dénoncent les injustices sociales et certains types de régime politique ou l'oppression subie par des minorités.

Interdit, poursuivi par la police, l'efficacité de ce « théâtre à la sauvette » exige de frapper vite et fort : l'utilisation de l'espace, les conditions de jeu et le contact avec le public requièrent d'autant plus de rigueur. Créer un événement, capter l'attention, opérer une rupture avec l'environnement nécessitent, le plus souvent, l'emploi de masques, de maquillages, de costumes, d'instruments de percussion, mais aussi une communication claire du propos par la mise en valeur du jeu (dialogue, gestes, mouvements, circulations) ainsi qu'une adaptation constante aux réactions des spectateurs.

### Spectacles sans théâtre.

Les riches perspectives ouvertes par la conception de structures architecturales nouvelles, l'assurance fournie par la science de rendre techniquement réalisable les projets les plus audacieux, le souci de voir les œuvres d'art refléter les grandes ambitions de la science ont conduit les artistes et les ingénieurs les plus hardis à dépasser les frontières du théâtre proprement dites et à imaginer un art nouveau dont le scénographe serait l'animateur. *Le Poème électronique* de Le Corbusier, réalisé à l'Exposition internationale de Bruxelles en 1958, peut se rattacher à cette conception. Il en est de même de son projet de *Boîte à miracles,* présenté à Tōkyō en 1957-58. Le théâtre spatio-dynamique de Nicolas Schöffer a franchi, pour certains de ses éléments tout au moins, le cap difficile de la théorie et des maquettes.

Le projet de ce théâtre prévoit, dans une enveloppe circulaire au profil acoustique de 100 à 250 m de diamètre, des ballets de sculptures électroniques et des ballets humains évoluant devant différentes surfaces alternées placées sur la paroi intérieure. Une des surfaces est animée par des mouvements d'éléments polychromes, une autre est constituée d'un écran de cinéma. Des appareils électro-acoustiques produisent des sons. Des « poésies » mobiles seraient recomposées par des cerveaux électroniques. Des ballets spatiaux peuvent être dansés par des sculptures volantes. Une piste circulaire permettrait les manifestations d'un théâtre abstrait. Le public, placé au milieu de l'enveloppe, se tient sur un dispositif circulaire pivotant. La double rotation de la coquille et du public permet d'offrir à ce dernier des visions perpétuellement changeantes. Le spectacle est dirigé d'une tour de contrôle avec laquelle chaque spectateur, qui dispose d'un tableau de commande, peut communiquer afin de lui donner des ordres ou de lui transmettre des impressions.

De leur côté, Renucci et le Laboratoire des arts ont présenté à la Biennale de Paris en 1963 un spectacle constitué d'un jeu d'éléments mobiles empruntés aux différents arts.

L'argument du ballet-spectacle *Gamme de 7* (Saint-Denis, théâtre Gérard-Philipe, octobre 1964) a été conçu par Jacques Polieri en vue de créer des rapports d'expression plastique et spatiale comportant trois actions différentes qui se déroulent sur plusieurs types de scènes : la scène à l'italienne, une triple scène et une scène occupant les trois dimensions de la salle. Ont été utilisées ainsi simultanément huit scènes, une neuvième étant une image électronique géante (emploi pour la première fois de caméra électronique et de l'Eidophore dans un spectacle en direct) reproduisant immédiatement en contrepoint certains signes gestuels et plastiques.

Les éléments gestuels, pour chacune des parties du spectacle, correspondent aux différentes conceptions spatiales et scéniques.

La structure générale de l'action organise les signes gestuels qui progressent de l'espace, perspective simple, à la perspective multiple, pour aboutir finalement à l'espace tridimensionnel : une sorte de conquête de l'espace se trouve ainsi présentée. La première partie du spectacle s'inscrit dans le cadre de scène traditionnel, délimitant l'espace appelé *scène centrale* (profondeur 10 m, largeur 9 m, hauteur 8 m). Les scènes latérales (jardin et cour : largeur 4 m, longueur 14 m, hauteur 1,10 m), réservées à la seconde partie du ballet, sont destinées à une simultanéité d'actions. Pour la troisième partie du ballet, il a été prévu cinq scènes qui se trouvent à trois niveaux différents. Le premier niveau est situé sur le même plan que les scènes latérales. Le deuxième niveau, sensiblement plus élevé (hauteur 4 m, largeur 3 m), se trouve à l'extrémité des scènes latérales, et le troisième niveau surplombe l'ensemble des autres scènes (hauteur 10 m, longueur 11 m, profondeur 4 m). On a choisi le verre et la charpente tubulaire comme matériaux pour ces différentes « scènes-niveaux » en vue de les différencier des autres praticables scéniques. On a tenté, au moyen de la lumière et du matériau employé, de créer une impression aérienne et d'apesanteur. Comme dans *Gamme de 7,* il s'agit d'établir, mais uniquement pour le danseur, une succession d'expressions plastiques et gestuelles constituant une sorte de « clavier » et reliant entre eux les différents moyens d'expression du geste. Les personnages qui se trouvent aux extrémités de la gamme linéaire, point de départ et exposition de l'action, sont reliés, par les signes et par l'action scénique, au personnage central, les quatre personnages intermédiaires servant de liaison entre les trois personnages principaux, interprètes du geste pur.

Les projets de théâtres sphériques sont relativement anciens : ceux qui sont issus du Bauhaus remontent à 1924-1926. C'est alors que Xanti Schawinsky imagine de placer l'action dramatique sur des aires situées à des hauteurs différentes d'une sphère, communiquant entre elles par des passerelles, des plans inclinés et un ascenseur. Schawinsky avait également prévu une piscine suspendue pour ballets nautiques. Andreas Weininger, également au Bauhaus, imagina de disposer des aires de jeu autour d'une spirale axiale. Les différents projets récents présentés vers 1960 sont dus au scénographe français Jacques Polieri, dont le « théâtre du mouvement total » apparaît comme une des conceptions les plus ambitieuses. Dans la formule établie avec la collaboration d'Enzo Venturelli, le spectacle se déroule selon les trois dimensions. Projections d'images et de films, diffusions sonores, acteurs et figures constituent les composants d'une action à laquelle les spectateurs, installés sur des plates-formes en mouvement, sont intimement mêlés. Jacques Polieri, dépassant encore ce projet, ne craint pas d'imaginer que des « actions se déroulant à de très grandes distances les unes des autres pourront également être envisagées grâce aux télétechniques ». Selon lui, « l'inclinaison, la rotation, les orbites et les mouvements des systèmes planétaires constituent sans doute la structure géométrique même d'une scénographie future ».

## espaces dramatisés

Adapter le lieu théâtral traditionnel, ou le rendre totalement transformable, sortir des édifices clos et porter le théâtre dans des lieux improvisés, substituer le spectacle, art nouveau, au théâtre traditionnel, ces tendances ont été accompagnées d'une prise de conscience des valeurs liées à la conception d'un espace-instrument.

Composer, construire, aménager, animer un espace, susciter, au moyen de cet espace, des contacts et des échanges, cela dépasse largement l'acte théâtral tout en en reprenant, néanmoins, le principe même : partout dans le monde, cette préoccupation apparaît à travers les recherches et les travaux des architectes et des urbanistes d'aujourd'hui.

# 4. Le comédien

*par Jean Duvignaud*

Paul Valéry range le métier d'acteur parmi les « professions délirantes », sans doute pour marquer le paradoxe d'une activité qui s'efforce de restituer dans la trame de la vie quotidienne et par un travail physique la véracité d'une personnalité imaginaire, donc irréelle...

Mais, dans une large mesure, la fonction d'acteur déborde celle de théâtre : l'acteur — celui qui se tient sous le masque, l'« hypocrite » *(hupokritês)* dit la langue grecque — existe dans toutes les sociétés humaines. On pourrait même donner de toute vie collective une représentation qui ne serait pas éloignée de la pensée hégélienne suivant laquelle une chose ou une réalité n'existe que lorsqu'elle s'extériorise et se joue : les sociétés représentent leur vie, leurs conflits, leurs hésitations à travers des individus affrontés qui manifestent par des signes les fonctions qu'ils incarnent.

Ainsi, tout rôle de quelque importance (chef, médiateur, sorcier, arpenteur...) s'extériorise devant le groupe. La force de la vie commune tient sans doute à l'intensité avec laquelle sont mimés et joués à tous les niveaux (famille, tribu, groupe, nation) les principaux rôles correspondant à des fonctions définies par la division sociale du travail.

Ici, toutefois, une distinction s'impose : un personnage social est l'acteur de son activité réelle, et les signes qu'il suggère sont immédiatement investis dans l'expérience globale, dont ils éveillent les attentes diverses. L'acteur, lui, représente des figures qui ne sont pas immédiatement investies dans l'expérience, parce qu'elles n'en dérivent pas expressément. Ainsi, le chef *joue* sa chefferie, mais déjà l'homme qui prend le masque des dieux introduit un élément nouveau, étranger à la sphère de la réalité immédiate.

On conçoit que cette innovation — l'introduction d'un élément non réel dans la trivialité de la vie commune — implique une réponse de la société elle-même : dans la plupart des sociétés dites « archaïques », la représentation des figures divines est un acte sacré qui rend ceux qui en portent l'efficacité momentanément intouchables. Plus encore, l'homme au masque sacré est souvent éloigné de la vie quotidienne, devient une sorte de « paria », de maudit. Marcel Mauss l'a déjà noté depuis longtemps à propos des attitudes sacrées. Cette malédiction annonce déjà la malédiction inséparable du personnage de l'acteur dans toutes les sociétés humaines.

## la fête

Nous estimons que l'on peut faire passer la frontière entre la représentation « naturelle » de la vie sociale et l'existence de l'acteur par la fête. Nous évoquons ici l'ensemble des activités propres aux sociétés étudiées par l'anthropologie, qui caractérisent des moments ou des périodes particulières de l'existence collective. Roger Caillois a examiné l'activité qui commande à ce changement brutal des attitudes coutumières : pénétration dans un temps et un espace différents de l'espace et du temps de la vie quotidienne; exaltation de désirs et de besoins généralement maîtrisés ou refoulés; apparition de la « débauche » soit sous l'aspect de la consommation gloutonne de nourriture, de femmes, de richesses, soit, comme l'a noté Georges Bataille, jusqu'à la « consumation totale ».

Au cours de ces fêtes sont représentées les figures mythologiques, dont l'ensemble constitue le système des classifications propres à la société donnée. Il s'agit donc de dramatiser les formes culturelles constituées en structures, mais qui ne se réduisent pas à leur formalisation, bien entendu (sauf pour l'anthropologue européen!). On a souvent décrit ces manifestations, qu'il s'agisse de fêtes intégrées à la vie sociale ou de fêtes présentant des caractères d'anormalité; c'est au cours de cette activité particulière que s'effectue le partage entre le rôle collectif réel et le rôle joué. Il ne s'agit pas ici de chercher une hypothétique origine historique du métier d'acteur, mais de marquer la frontière qui sépare une conduite pratique d'une conduite imaginaire.

## le roi

L'anthropologie a insisté sur le caractère en quelque sorte maudit de tout représentant de la puissance sociale. Il faudrait ici reprendre une analyse célèbre de Marcel Mauss, qui montre comment le fait de s'emparer symboliquement ou pratiquement de la substance sociale — ce tout qui rassemble et unifie les membres d'un groupe, le « mana » pour prendre le terme utilisé généralement — entraîne, pour son détenteur, un redoutable isolement du reste de la société.

Le parallélisme qui existe entre le sorcier, le mage, le roi et le chef est, à cet égard, très éclairant. Car le chef ou le roi résulte d'une entente, d'un « contrat social » (au sens que J.-J. Rousseau fait à ce mot) entre des individus et des groupes qui renoncent à l'utilisation de la violence anarchique, au commerce du sang versé de groupe à groupe au cours d'interminables « vendettas ». Et le terme de ce renoncement se définit dans la personne d'un individu choisi, élu ou tiré au sort, que la société charge d'un pouvoir discrétionnaire sur elle-même.

On reconnaît en partie ici la pensée de Max Weber, qui déduit toute politique d'une violence surmontée. Le « charisma » dont dispose le roi est sans doute la substance sociale elle-même, le « mana ». La possession de cette force qui justifie à la fois la coercition, l'obéissance, la punition, l'établissement de règles et l'organisation de plans visant à entraîner la société dans la guerre ou la paix sépare *un* homme du reste des hommes.

Cette séparation est précisément une « malédiction », car le roi va exercer son rôle de roi sans référence à la réalité de l'homme quelconque qu'il fut avant. On connaît dans l'histoire des exemples de fuite devant ce rôle imposé ou proposé : on se souvient de l'angoisse d'Agamemnon lorsqu'il est choisi pour roi. C'est que la tâche isole et oppose au reste de la vie collective. Le roi est sacrifié à sa fonction royale. Détenteur d'une puissance immatérielle mais efficace, il joue un personnage qui ne lui permet plus de rentrer dans l'ordre commun. Il devient donc, au sens propre de ce mot, une personnalité « atypique ».

Or, il existe une interversion des rôles entre la genèse de la légende royale, ou simplement la réalité des actes particuliers impliqués par la séparation d'un homme détenteur de la puissance sociale du reste des hommes, et la prise en charge par un bouffon ou un acteur qui *agit* une figure régalienne. Influence? Corrélation réciproque? L'acteur ne copie pas le roi, mais il *fait* le roi et ne peut se passer du roi.

## diversité des rôles

Une illusion trop répandue consiste à rassembler tous les phénomènes concernant le théâtre dans une définition commune et, par conséquent, d'imaginer une universalité qui n'existe point. Si les individus, les

108

groupes, les classes ne peuvent échapper aux rôles sociaux qu'ils sont amenés à jouer, cet élément irrémédiable change de sens avec l'apparition de l'acteur : ce dernier, qu'il dise un texte ou dramatise un rituel, sublimise les situations sociales, les idéalise, appelle à leur parodie, voire à leur dépassement. En fait, ce qui est nécessaire à la vie sociale devient, par une conversion subite, inévitable ou fatal dès que l'acteur s'en empare. La « fatalité » sans laquelle les créatures fantomatiques présentées sur la scène n'auraient aucun sens est l'image renversée de l'impossibilité réelle d'échapper aux exigences de la vie collective.

Une première classification générale consisterait à examiner les changements de fonction du personnage de l'acteur suivant les cadres sociaux réels et les types de sociétés ou de civilisations : les sociétés patriarcales ou féodales, les villes ou les cités, les sociétés monarchiques, les sociétés libérales, les sociétés industrielles, les sociétés du « tiers monde » connaissent sans doute l'existence d'acteurs dont l'histoire nous livre les noms et quelques traits, mais le rôle qu'exerce chacun d'eux dans ces civilisations n'est jamais exactement le même. Comment confondre, par exemple, les artistes engagés en Grèce pour les « chorégies » et Rikeche Auris ou Baude Fastoul, qui jouent au XIIIᵉ s. le *Jeu de la feuillée* d'Adam de la Halle, Talma et les maîtres du nō japonais?

Non seulement le champ d'expansion culturel est différent, tant par les publics rassemblés, l'utilisation d'un texte, l'importance d'un rituel ou son inutilité, mais aussi le statut du personnage imaginaire créé varie, lui aussi : dramatiser le personnage d'Antigone dans la ville d'Athènes n'a rien à voir avec le fait de commenter le personnage de Phèdre devant la cour de Versailles. L'extrême ritualisation définie par Zeami au début du XVᵉ s. japonais ne saurait être comparée avec l'instinct parodique de Frédérick Lemaître. La différence n'est pas une simple variation; elle implique une séparation radicale des fonctions.

Une autre distinction s'impose, qui englobe les civilisations elles-mêmes — celle qui oppose entre eux des ensembles humains où l'expression mythologique, religieuse, esthétique implique une incapacité à surmonter les nécessités de la nature et une incapacité à modifier les structures sociales, qui, dès lors, paraissent irréductiblement immuables, et des ensembles humains où la conscience collective pressent (d'une manière évidemment impensée) que l'homme possède une force capable de remodeler et la nature et la société. Seules, les secondes de ces sociétés peuvent être appelées *historiques*.

Or, dans ces deux cadres différents, l'acteur, comme d'ailleurs le théâtre, n'a pas le même rôle ni le même sens.

Jouer le personnage de Prométhée le révolté ne peut se faire de la même manière ni impliquer les mêmes significations que d'incarner, comme le fait l'acteur du « kathākali » indien, l'inévitable puissance des dieux : toutes les civilisations où s'impose la conscience implicite d'une éventuelle puissance sur le monde et la structure sociale établie sont aussi des civilisations de l'écriture. Le mythe s'oppose au livre, c'est-à-dire à l'écriture, dans la mesure où cette dernière entraîne une expérience imaginaire tout à fait originale et qui donne à l'acteur sa réalité de comédien. On voit comment nous établissons une distinction souvent obscurcie par des préférences subjectives : l'acteur pouvant correspondre à toute espèce de jeu et *le comédien étant proprement celui qui trouve dans un texte écrit, dans une poésie, son existence propre.*

## l'acteur dans la ville

Il est possible que le théâtre soit lié à l'apparition de la ville. En tout cas, en Europe (mais aussi en Chine et au

Japon dans la mesure où la ville répond à une réalité comparable), l'émergence de la tragédie et de l'acteur paraît inséparable de l'établissement de ce mode de vie original qu'est la cité, refermée sur elle-même, éloignée de la campagne.

Dans la ville, en effet — ville grecque, ville romaine, ville italienne du trecento et du quattrocento —, s'impose une concentration statistique des hommes que les sociologues appellent la *densité sociale;* sous le regard de tous, l'homme devient un citoyen, c'est-à-dire une personne juridique bien différente de toutes les appartenances anciennes dans les sociétés patriarcales ou féodales antérieures. L'apparition de la ville, à elle seule, constitue une formidable révolution, non seulement parce que la violence y fait place à la persuasion, à la rhétorique, au langage, mais parce que les figures de la mythologie paysanne rurale traditionnelle subissent de ce fait une distorsion pénible et cruelle. On peut *jouer* maintenant ce que l'on avait peut-être (nous n'en savons pas grand-chose) la coutume de simplement reconstituer.

Nous avons dit ailleurs que la tragédie grecque commençait lorsque le ciel de la mythologie patriarcale et féodale se vidait, c'est-à-dire lorsque l'homme de la ville, devenu le centre d'un cosmos, demandait aux classifications mythiques de cimenter sa cohésion collective et de sanctionner la communauté urbaine plus que de lui accorder une faible marge de liberté dans un cosmos hostile. Il est possible que la Grèce ait, comme l'a pensé Nietzsche, connu le passage de la dramatisation exaltée et accompagnée de transes de possession, qu'il appelle *dionysiaques,* à la rationalisation déchirée du langage apollinien. Mais il est certain que l'acteur grec n'incarne des figures imaginaires et perçues comme telles qu'au moment où ces mêmes figures sont transcrites dans un texte poétique et non plus abandonnées au rituel transmis oralement.

Que l'acteur soit ici tout à la fois comprimé dans

111

l'étroitesse d'une activité presque sacrée en raison de la crainte qu'inspire toute transgression (et, dans une certaine mesure, la représentation littéraire d'une figure jadis divine est une transgression), cela correspond aussi à la personne même de cet acteur célébrant un culte et *démontrant une hypothèse.* Chargé de jouer Oreste de Sophocle, l'acteur grec ne devait pas (ne devait plus) incarner un patron local, mais apporter la preuve que l'existence d'un homme, désormais, ne dépendait plus d'un arbitraire de « l'arrière-monde », mais d'une loi humaine définie par une justice collective incarnée par la cité, c'est-à-dire sublimée dans l'image de Minerve.

## l'impossible jeu

Les sociétés patriarcales, féodales, théocratiques correspondent à ce que nous appelons le *Moyen Âge européen,* mais aussi à de grandes périodes de l'islām, à la Grèce rurale, à l'Inde et sans doute au Japon du XIII$^e$ s.

Or, ici, une chose frappe, c'est la multiplicité des rôles joués — rôles sociaux réels parodiés, rôles imaginaires, mais sans enracinement littéraire. Les bandes de comédiens qui s'attachent à la célébration des drames sacrés dans l'Occident chrétien, les baladins des foires ou des places, les clercs qui tentent de restaurer une tragédie ancienne (latine surtout) à travers des exercices de pure rhétorique, les premiers divertissements variés « sangaku » japonais, les représentations dont *l'Iliade* nous apporte de brèves relations, tout cela concerne-t-il le théâtre?

On devrait ici parler de « théâtralisations » multiples, de dramatisations plus ou moins spontanées, qui ne parviennent jamais, sauf quand elles sont fortement ritualisées, comme c'est le cas du nō, à constituer un théâtre. Comment pourrait-on faire de notre Moyen Âge l'origine du théâtre occidental du XVI$^e$ s.?

Comment ne pas voir qu'entre les époques se creuse un infranchissable fossé et que de chaque côté de ce fossé se composent des systèmes indifférents aux rythmes chronologiques?

Car il est important de noter d'abord combien, dans ce type de société, le texte écrit a peu de sens. Le « rôlet » des acteurs du Moyen Âge, qu'est-il, sinon un support pour le souvenir, alors que tout conduit à l'improvisation? Sébastien Mouche (dont certains pensent qu'il fut le « premier acteur » français) est de cette race de copieurs parodiques, de faiseurs de tours, d'illusionnistes qu'aucun texte ne contient et qui répètent des « trucs » transmis oralement le plus souvent ou extrêmement ritualisés (avec plus de soin que les textes mêmes, souvent inexistants). En fait, nous sommes en présence d'une curieuse expérience : les acteurs qui participent aux mystères participent en fait à une immense expérience d'hallucination sacrée tendant à rendre vraisemblable un système de croyances dont il est faible de dire qu'il n'a pas alors trouvé de racines solides. Les baladins spécialisés dans la parodie paraissent jongler avec les rôles sociaux réels, comme si la société n'était pas assez sûre d'elle-même pour se regarder et s'admettre. Tout se passe comme si l'extrême multiplicité des formes et, pour tout dire, le relativisme de ce genre de société (attesté par des historiens comme Gaston Zeller) ne permettaient pas la réduction de l'expérience humaine à une scène, comme si cette société ne se représentait pas elle-même dans une image unique de l'homme, mais dans une diversité de séries divergentes qui ne se recoupent jamais.

L'acteur paraît ici tout pouvoir, mais tantôt le rituel lui interdit d'aller au bout de sa représentation (le nō est un drame liturgique que son extrême codification empêche de devenir tragédie), tantôt la variété des possibilités freine la création d'une manifestation cohérente. S'agit-il encore de théâtre? Ne devrait-on pas penser, en prenant un terme à la réalité spécifique de la psychologie contemporaine, à une multiplicité de « psychodrames » et de « sociodrames » où la société se regarde elle-même comme en divers miroirs, tous également vrais et tous fragmentaires?

## le triomphe de l'acteur

Les sociétés monarchiques offrent une tout autre chance à l'acteur. Et là, surtout, nous allons parler de comédiens individualisés, fortement organisés en troupes, conscients de leur rôle.

Insistons sur un élément fondamental : en Espagne, en France, en Angleterre, les troupes d'acteurs précèdent dans l'ordre de l'existence la création dramatique. Que ces acteurs miment des pièces ou des scénarios tirés de la mythologie, improvisant plus ou moins adroitement, ce sont eux qui ont constitué l'espace dramatique où vont s'insérer les créations littéraires. Les troupes de Ferrare ou de Bologne, qui jouent des « commedia sostenuta », les Gelosi, la compagnie du Marais mettent en place un système imaginaire dont s'empareront les « auteurs ».

L'important est que l'acteur va servir d'instrument pour un singulier mouvement qui s'esquisse et qui figure un symbolique « transfert de classe » : en effet, les comédiens représentent et jouent les « valeurs nobles », les images fondamentales du système chevaleresque et de l'« amour courtois », soit qu'ils figurent directement des personnages de « romans », soit qu'ils habillent des personnages tirés des récits hellénistiques (Roland, Pyrame et Thisbé, etc.). Entre leurs mains, ces « valeurs nobles » restent codifiées et parodiques, allusives surtout. Il leur manque un langage, et les « passions nobles » appellent un *discours*. Ce discours, ce seront des auteurs presque tous issus de la bourgeoisie qui le leur fourniront. Auteurs « bourgeois » hantés par les « valeurs nobles » et chevaleresques. Tentations de l'illusion sociale d'un groupe qui représente et anime des valeurs qu'il n'a point reçues en partage et qui lui sont même refusées par définition. Le théâtre devient le moyen de reconstituer une vie « noble » certes depuis longtemps disparue, à supposer qu'elle n'ait pas été un rêve de poète, mais cette reconstitution se fait dans l'étroite complicité du fils de riche bourgeois et du comédien.

L'acteur, lui, porteur et détenteur de cette force nouvelle, inséré dans la trame solide d'un discours poétique, poursuit cependant sa vie errante de troupe asservie à la suzeraineté d'un grand. Sans doute, l'aristocratie réelle a-t-elle trouvé dans l'acteur le reflet de sa propre existence ou la confirmation de son être social et sa glorification.

Mais, en même temps, l'acteur se présente devant le public de la « ville ». Il ne peut y échapper. La cour et la ville sont les deux pôles de son activité, puisque la munificence du prince ne suffirait point à l'entretien d'une troupe. L'acteur devient alors réellement le « serviteur de deux maîtres », compte tenu de ce que le double jeu qu'il entreprend alors est la condition de sa survie. Dira-t-on assez que Molière ne réussit pas « en ville » et ne surmonte ses difficultés que par la grâce du roi? Mesure-t-on les détours et les ruses dont sont parsemées les pièces de Shakespeare, les concessions de Calderón?

C'est pourtant dans ce contexte que l'acteur montre historiquement son visage le plus complet — au point que l'on a pris le plus souvent comme référence les comédiens de cette période. La délégation représentative dont il jouit lui permet d'affronter cette tâche surprenante d'animer par la parole et le geste l'écriture d'un poète qui rétablit le circuit coupé entre l'élite officielle et un système de valeurs déjà périmé.

On ne saurait sous-estimer l'importance de cette action de l'acteur-comédien. Faut-il oublier que tous les auteurs recherchent la complicité la plus exacte avec les troupes, qu'ils y trouvent des amis, des maîtresses? Entre les grands seigneurs et les auteurs, entre deux couches sociales, le comédien ne sert-il pas de médiateur?

En tout cas, il est possible de dire qu'il a facilité, voire provoqué l'apparition d'une image de la personne humaine, fortement individualisée, trait commun à tout le théâtre de cette époque, où s'esquisse une synthèse des valeurs nobles et de cette raison individuelle, consciente de soi, dont on a dit qu'elle n'était pas sans rapport avec l'idéologie de la classe bourgeoise. Dans aucun cadre social, le comédien n'exercera un prestige aussi considérable et ne sera capable d'agir aussi directement sur la création esthétique.

## le comédien et le marché

C'est un fait objectif, mais nullement nécessaire que les sociétés libérales aient succédé dans le temps aux sociétés monarchiques, en Occident du moins. Mais la rupture entre les deux systèmes humains implique précisément des changements et des variations complexes, souvent invisibles pour ceux qui se contentent d'examiner des enchaînements dans la durée. À cet égard, la frontière qui sépare l'« Ancien Régime » français du XIXᵉ s. est significative : on passe, au cours d'une rupture violente, d'un état où le comédien dépend du pouvoir et de la discrétion financière du roi à un autre état où le comédien, réduit à lui-même, ne dépend que de sa réussite devant un public. La subite immersion du théâtre dans le marché du spectacle constitue un choc dont peu d'acteurs se sont relevés.

Il faut ainsi interpréter le fait que les comédiens-français n'aient rien compris aux changements qui surviennent en France à partir de 1789, que, peu à peu, ils se soient enfermés dans une hostilité, puis une opposition grandissante. Le « service du roi » leur est retiré avec leur privilège. Certes, la concurrence qui les oppose aux salles « libérées » est faible, et la révolution n'est pas une période de création dramatique puissante. Mais il s'agit de quelque chose de plus profond : la protection du roi ou des grands seigneurs permettait de ne pas tenir compte des réactions du public urbain, voire de représenter des pièces non conformistes ou frondeuses (ce fut le cas de Beaumarchais). L'affrontement direct avec un public non formé, non constitué, fluide, soumis à des émotions collectives, travaillé par des idéologies complexes pose de tout autres problèmes.

Un seul acteur a réussi complètement cette métamorphose et traversé, sans les esquiver, toutes les étapes menant du type de comédien propre aux sociétés monarchiques au type de comédien vendant sa substance esthétique sur un marché, et c'est Talma (1763-1826). Rompant avec les comédiens-français, attachés au « privilège du roi », ne trouve-t-il pas durant la Révolution française l'audience du public ? Audience politique d'abord, mais qui, après les aventures de l'Empire (où il devient un acteur officiel), fait de lui une *marchandise* vendue avec succès sur le « marché du théâtre ». Vingt années — la carrière de Talma — consacrent ce changement décisif...

Rachel, Frédérick Lemaître, Joanny, Lafon, Marie Dorval, Sarah Bernhardt, la Duse illustrent cette transformation : l'acteur ne représente pas seulement en scène des types humains imaginaires, dans la vie il incarne un certain rôle qui prolonge le théâtre en assurant sa survie. Produit vendable sur un marché, marchandise lui-même, il lui est désormais nécessaire d'attirer et de séduire, d'être à soi-même sa propre « image de marque ». On mesure le danger : prisonnier de l'image qu'il veut imposer et du type qui le rend « vendable », l'acteur limite par là ses possibilités. Il investit une personnalité seconde dans les personnages qu'il représente.

Ce grossissement de la personnalité seconde caractérise la vie et souvent aussi le jeu des comédiens dans les sociétés libérales. À l'image de la personne anonyme mais consciente de soi définie en fin de compte par les comédiens serviteurs des monarques, l'acteur impose le mythe de sa personnalité débordante, dispendieuse, hors du commun, riche en passions, en aventures anarchiques.

## le serviteur d'un art

Certes, les choses ne changent pas simplement. Parce que les sociétés industrielles modernes succèdent aux sociétés libérales, les traits composant l'ancien statut de l'acteur continuent à s'imposer. Plus encore, les techniques nouvelles de diffusion, les mass media accentuent inévitablement le processus de mythification de la personnalité.

Il faut cependant remarquer que le personnage de la vedette n'est pas seulement un acteur gonflé : comme le note Edgar Morin, la représentation dispersée en image suppose une consommation collective et massive de substance existentielle; le public le plus large participe symboliquement, à travers les passions et les émotions suggérées par un visage universellement connu, à des émotions et à des passions qui seraient sans cela inconnues et inaccessibles. Le comédien devenu « vedette » n'assure plus seulement la vente de sa propre marchandise, il ne circule pas seulement d'œuvres en œuvres (films ou pièces) en transportant à bout de bras son personnage comme un masque immuable. Il détient un pouvoir de médiation entre un univers imaginaire où toutes les passions sont possibles et l'existence rétrécie d'individus non privilégiés. En ce sens, la société industrielle a accentué un trait de la société libérale, mais elle a entraîné également un changement qualitatif important : elle l'a enraciné plus profondément dans la trame de la vie collective.

Un autre changement, par ailleurs, se produit,

imprévisible celui-là et qui fait du comédien, au plein sens du mot, un créateur esthétique original, soit qu'il se fasse lui-même metteur en scène (Stanislavski, Copeau, Dullin, Vilar, etc.), soit qu'il se donne pour l'exclusif serviteur d'un art. Là, sans doute, le changement économique qui explique ceci explique cela : parce que l'art en tant que tel peut devenir «vendable» en raison même de l'attrait qu'il exerce sur de nouveaux publics issus de classes jusque-là étrangères au théâtre, il peut donc se purifier assez pour éliminer tous les éléments seconds ou superficiels. Certes, Shakespeare ou Molière étaient à la fois des acteurs et des créateurs, mais, en tant que comédiens ou auteurs, ils ne prétendaient pas servir exclusivement une valeur artistique absolue. La seule justification de Jean Vilar, de J.-L. Barrault, de Peter Brook réside dans cette allégeance exclusive, lors même qu'elle se masque sous des idéologies politiques diverses inséparables de la conscience collective des sociétés industrielles et contemporaines.

Jacques Copeau, Charles Dullin, Roger Blin fournissent l'image de ce sacrifice total à l'œuvre et aux significations latentes qu'elle comporte. On a parlé à leur sujet de « jansénisme » pour définir cette pureté ou ce puritanisme qui exclut souvent même le succès immédiat. On sait la misère de Dullin. On oublie qu'il ne l'a jamais voulue en tant que telle, mais qu'il l'a acceptée comme une inéluctable conséquence de son attitude fondamentale. La vie des Pitoëff offrirait une autre illustration de ce sacrifice, dont les exemples se retrouvent dans la plupart des pays modernes.

Il est vrai que cette idée de soumission à l'œuvre implique éventuellement aussi celle d'un théâtre « service public » qui, sous la protection et l'aide d'une administration nationale, comme l'Éducation publique, restituerait les valeurs esthétiques à des publics auxquels on en doit la manifestation. Idée que nous trouvons formulée avec une grande précision chez les acteurs soviétiques, chez les membres de la première Volksbühne en Allemagne (avant Hitler), en France chez Vilar dans son livre *De la tradition théâtrale*.

On ne peut évidemment pas rattacher cette attitude à celle des comédiens cherchant la protection des princes ou des rois; la notion de service public implique celle d'une restitution d'un bien public à ses naturels usagers; l'acteur devenu metteur en scène dans la plupart des cas est un entrepreneur de spectacle, mais il ne se produit pas lui-même en tant que personnage; il diffuse un message culturel précis. Ce que furent la Volksbühne en Allemagne et le Théâtre national populaire en France définit clairement et pratiquement ce rôle nouveau de l'acteur. Croyance ou idéologie qui sera celle de « Travail et culture », puis des « maisons de la culture » en France.

Cela dit, les interférences sont constantes : le serviteur de l'art est aussi la vedette et *vice versa.* Ambiguïté souvent malaisée à supporter, mais qui peut aussi accentuer l'importance du sacrifice quand celui-ci l'emporte du moins dans la conscience de l'artiste : ce que furent les carrières de Laurence Olivier en Grande-Bretagne et de Gérard Philipe en France montre assez qu'un acteur vedette peut utiliser son prestige pour imposer des œuvres d'art qui, sans lui, n'auraient que peu d'audience.

La conséquence de cet enchevêtrement et, en tout cas, de ces multiples appartenances est pour le comédien un enracinement profond dans la vie sociale. On peut dire que, dans aucun autre type de société, il n'a été aussi profondément dépendant et inséré dans la lutte et les transformations des collectivités actuelles.

## le constat

Il faut attacher une importance primordiale au *Paradoxe sur le comédien* de Diderot, non seulement en raison de l'influence que ce texte exerce sur les artistes et les dramaturges jusqu'à Brecht, mais parce qu'il témoigne de la mutation radicale qui permet à l'acteur de devenir un comédien, c'est-à-dire un agent esthétique conscient et enraciné dans une histoire réelle.

Évidemment, il faut, au passage, corriger quelques contresens commis sur la pensée de Diderot et rappeler cette idée essentielle, mise en évidence par Yvon Belaval dans son *Esthétique sans paradoxe de Diderot* (1950), que le terme d'*imitation,* chez Diderot, ne signifie nullement « copie » ou « rédiction », mais « dévoilement ». En fait, pour le « philosophe des lumières », cette imitation des émotions et des passions tend à révéler un « modèle idéal » dont les techniques d'interprétation et de jeu démontrent les aspects. Seulement, ce « modèle idéal » ne renvoie pas à un archétype, mais à une matrice qui reconstitue des structures nouvelles et suggère une interprétation de la réalité vivante. Au sens où Gaston Bachelard disait « qu'il n'existe de science que du caché », le travail du comédien « imitant » la nature déchiffre en fait au-delà des apparences une réalité interne que son jeu reconstruit, qui, au-delà de la distinction scolaire entre l'âme et le corps, propose une structure symbolique plus vraie que l'apparence. Mais cette structure est masquée; elle est donc une hypothèse sur la réalité et comme un « pari » sur le fonctionnement de la vie tout entière.

On voit combien il est insuffisant de réduire la théorie de Diderot à la fameuse « froideur » ou « indifférence » du comédien par rapport au contenu des passions qu'il incarne. On ne crée pas de la communication en se faisant soi-même le signifié des signifiants qu'on représente. Ces signifiés n'appartiennent pas à l'acteur qui se contente de manipuler des éléments formels, des signes (au sens que R. Barthes donne à ce mot), mais *c'est le public qui achève le mouvement commencé.*

121

Il existe donc pour Diderot entre la sensibilité vraie (qui nous submerge) et la sensibilité jouée, c'est-à-dire recréée, la même relation qui existe entre un événement réel et le récit ou le constat de cet événement. Le comédien *relate* la passion ou l'émotion. La vivre le replongerait au milieu du «clair-obscur de la vie quotidienne» (G. Lukács) et le détacherait de son rôle particulier d'indicateur d'expériences. S'identifier aux conduites que l'on recrée serait échapper à l'événement, le fuir et détourner de la dramatisation réelle.

Plus grave est l'erreur commise sur la pensée de Brecht, parce qu'elle a transformé une analyse concrète en idéologie plus ou moins chargée de dogmatisme. Ce n'est pas ici le lieu de rappeler les présuppositions de la pensée de Brecht, exilé, cherchant à recomposer une Allemagne perdue, puis tentant de faire une place à la libre expression dramatique dans un système politique qui l'exclut. L'importance est dans ce qu'on a appelé *distanciation (Verfremdungseffekt)* : le jeu du comédien ne peut, en aucun cas, susciter une adhésion émotionnelle, une identification, mais suggérer une explication de la réalité humaine globale.

L'important est dans l'état de tension critique que Brecht prétend instaurer entre le public et le jeu du comédien, état dont le comédien est le seul capable d'imposer l'apparition. Il ne s'agit donc plus de « jeu », mais d'un acte capable de restituer le constat de l'événement, ce qui tend, en fait, à demander au comédien d'assimiler systématiquement la dramatisation à un événement réel, historiquement perceptible.

On conçoit que, sur ce plan, l'enseignement de Brecht s'oppose à celui de Stanislavski. Ce dernier demandait à l'acteur de jouer le « sous-texte » — cette part non écrite que le metteur en scène doit emplir avec du « jeu », puisque le dramaturge expulse de l'image qu'il expose les éléments du « principe de réalité ». Brecht propose de remplacer le « sous-texte » par un « non mais », c'est-à-dire par une mise entre parenthèses de la charge psychique banalement *attendue.*

La pensée de Diderot comme celle de Brecht (les plus marquantes dans les réflexions sur le comédien) se répondent sur un double point, qui correspond précisément à la situation de l'acteur dans les sociétés historiques : l'expression dramatique ne consiste pas à diffuser les signes déjà constitués, mais des signifiés en quête de signification; les transformations technologiques (l'imprimerie, elle aussi, fut une transformation technologique créant, comme on l'a dit, avant H. Marshall McLuhan, un univers d'expression nouveau) tendent à rapprocher l'expression imaginaire de l'événement réel, à réintégrer l'art dans l'histoire. Là gît la vérité de l'intuition de Brecht : le comédien doit se contenter de *constater* l'événement qu'il représente comme s'il désignait un fait.

Comment ne pas voir, dans le mouvement actuel de transposition entrepris par des acteurs-metteurs en scène (Roger Planchon, Peter Brook, Jorge Lavelli, Jean-Marie Serreau, Marcel Maréchal, Patrice Chereau) pour actualiser les classiques, un effort en vue de rapprocher des œuvres anciennes des *événements* contemporains et de pratiquer à travers une formalisation souvent démodée un constat sur la réalité présente? Ce que nous dit Jan Kott sur les représentations de Shakespeare et de Beckett en Pologne au moment de la libéralisation des années 50 va dans ce sens. On devrait même dire qu'aujourd'hui l'événement dévore le théâtre et l'acteur.

## l'acteur événement

Cette conscience d'appartenir à l'« ici et maintenant » et de constater en reconstruisant un événement bouleverse les conditions du comédien : l'acteur du nō ou l'acteur du XVIIe s. commente et prolonge une passion ou une souffrance désignée par des mots ou des indications rituelles. La dramatisation qu'il supporte et nourrit renvoie à un univers indéfini et, à coup sûr, irréel. Cette irréalité fait partie de l'adhésion du spectateur, tandis que la communication affective suggérée par le comédien se réalise, elle, au niveau de la conversation d'un cercle étroit : la présence des spectateurs sur la scène atteste l'intimité de cette communication.

Dans la plupart des sociétés industrielles depuis une décennie, certains comédiens estiment que le rôle de l'acteur est de bouleverser la pièce qu'ils représentent s'il s'agit d'une pièce ancienne ou de dramatiser le jeu à l'état pur, ce dernier prenant par lui-même une force contestatrice et subversive.

Le « happening » est une tentative pour dramatiser la libido et la spontanéité. Il commence au moment où l'acteur s'abandonne au *jeu pur.* Dans une certaine mesure, les recherches de Lee Strasberg, à New York, tendent vers cette reconstruction vériste de l'immédiat et de l'affectif. Utilisant certaines des méthodes de la psychanalyse et du psychodrame, Strasberg cherche à former les acteurs à ce « sous-texte » non écrit dont parle son maître Stanislavski. Mais il cherche aussi à les libérer des résistances imposées par l'éducation et, plus généralement, la société, qui, maîtrisant la libido, limitent chez l'individu la capacité de représenter d'autres personnages que le sien. Strasberg n'est pas le père du happening, mais le happening est né dans la société anglo-saxonne.

La mode du happening a duré tout le temps que les comédiens ont cru que la dramatisation de la spontanéité pouvait en elle-même aider les groupes humains à se délivrer des instances de la « société de consommation » et recouvrer cette liberté dont Herbert Marcuse dit qu'elle s'efface dans ce cadre social. À vrai dire, ces dramatisations existaient déjà sous des formes politiques concertées, mais laissées à la

« commedia dell'arte » des artistes au temps du « proletkult » en U. R. S. S. et des « théâtralisations » du début de la révolution chinoise. Elles paraissent aussi répondre au vœu d'A. Artaud *(le Théâtre et son double)* qui aspirait à un « théâtre physique » comparable aux manifestations sacrées de Bali.

L'expérience du Living Theater va dans ce sens : l'acteur, ici, emporte le spectateur dans l'action même du drame. Les barrières entre le « voyeur » et l' « agissant » se brisent. L'art du théâtre devient une participation événementielle commune, une célébration. On reconnaît ici les idées de Rousseau dans la *Lettre à d'Alembert,* condamnant le théâtre, mais valorisant la fête où tout le monde devient acteur, où la communauté se célèbre elle-même sans le truchement de la fiction. Tout se passe justement comme si l'acteur ne porte plus de « sens » à la connaissance d'un public, mais, jouant une action, *devient le foyer d'un constat à partir duquel le sens était possible,* du moins en tant qu'interprétation.

Par là, on retrouverait l'idée de Brecht suivant laquelle le théâtre ne doit pas viser à une communion, mais à une division des spectateurs. L'être social et esthétique du comédien, en tout cas, sous le coup de ces changements, est en passe de subir une mutation radicale : disparaîtra-t-il en tant que comédien appartenant à une institution appelée *théâtre,* que la société industrielle rend de moins en moins nécessaire, retrouvera-t-il sa fonction et son rôle dans un autre cadre? Les recherches contemporaines se mesurent non seulement à leur réussite esthétique, mais à ce qu'elles suggèrent de modification des rapports entre une réalité multiforme et reproduite infiniment par les mass media et des structures imaginaires de plus en plus profondément insérées dans l'existence collective.

Le comédien n'est plus le délégué d'une vie lointaine et impossible, mais le provocateur d'expérimentations nouvelles.

125

# Bibliographie

☐ N. Sabbatini, *Pratica di fabricar scene e machine ne' teatri* (Ravenne, 1638; trad. fr. *Pratique pour fabriquer scènes et machines de théâtre,* Ides et Calendes, Neuchâtel, 1942). / F. et C. Parfaict, *Histoire du théâtre français depuis son origine jusqu'à présent* (Amsterdam, 1735-1749; 15 vol.). / D. Diderot, *Paradoxe sur le comédien* (Sautelet, 1830; rééd. dans *Œuvres complètes,* t. VIII, Garnier, 1875). / F. Nietzsche, *Die Geburt der Tragödie aus dem Geiste der Musik* (Leipzig, 1872; trad. fr. *la Naissance de la tragédie,* Gallimard, 1940). / L. H. Lecomte, *Un comédien au XIXᵉ siècle : Frédérick Lemaître* (chez l'auteur, 1888; 2 vol.). / A. Antoine, *le Théâtre libre* (impr. par le Théâtre-Libre, Paris, 1890); *Mes souvenirs sur le Théâtre libre* (Fayard, 1921); *le Théâtre* (les Éditions de France, 1932-33; 2 vol.). / A. Appia, *la Musique et la mise en scène* (Montbrillant, 1897; 2ᵉ éd., Theaterkultur Verlag, Berne, 1963); *l'Œuvre d'art vivant* (Éd. Atar, Genève, 1921). / E. K. Chambers, *The Mediaeval Stage* (Londres et Oxford, 1903, 2 vol.; nouv. éd., Londres, 1928, 2 vol.). / M. Mauss, «Esquisse d'une théorie générale de la magie», *l'Année sociologique* (1904; rééd. dans *Sociologie et anthropologie,* P.U.F., 1950). / E. G. Craig, *The Art of the Theatre* (Édimbourg, 1905, nouv. éd. *On the Art of the Theatre,* Londres, 1929; trad. fr. *De l'art du théâtre,* Lieutier, 1942; nouv. éd., 1954); *The Theatre Advancing* (Boston, 1919, nouv. éd., New York, 1947; trad. fr. *le Théâtre en marche,* Gallimard, 1964). / H. C. Lancaster, *The French Tragi-Comedy* (Baltimore, 1907); *A History of French Dramatic Literatur in the Seventeenth Century* (Baltimore et P.U.F., 1929-1942; 9 vol.). / M. Apollonio, *Storia della Commedia dell'arte* (Rome et Milan, 1930); *Storia del teatro italiano* (Florence, 1938-1950, 4 vol.; 3ᵉ éd., 1954, 3 vol.). / L. Moussinac, *Tendances nouvelles du théâtre* (A. Lévy, 1931); *Traité de mise en scène* (Librairie centrale des Beaux-Arts, 1948). / A. Artaud, *le Théâtre et son double* (Gallimard, 1938). / L. Jouvet, *Réflexions du comédien* (Éd. de la Nouvelle Revue Critique, 1938); *Témoignages sur le théâtre* (Flammarion, 1952); *le Comédien désincarné* (Flammarion, 1954); *Molière et la comédie classique* (Gallimard, 1965); *Tragédie classique et théâtre du XIXᵉ siècle* (Gallimard, 1968). / R. Caillois, *l'Homme et le sacré* (Leroux, 1939; nouv. éd., Gallimard, 1963); *les Jeux et les hommes, le masque et le vertige* (Gallimard, 1958; nouv. éd., 1967). / R. M. Guastalla, *le Mythe et le livre* (Gallimard, 1940). / H. Gouhier, *l'Essence du théâtre* (Plon, 1943). / H. R. Lenormand, *les Pitoëff* (Lieutier, 1943). / P. Sonrel, *Traité de scénographie* (Lieutier, 1943; 2ᵉ éd., Billaudot, 1957). / G. R. Kernodle,

*From Art to Theatre* (Chicago, 1944). / C. Dullin, *Souvenirs et notes de travail d'un acteur* (Lieutier, 1946); *Ce sont les Dieux qu'il nous faut* (Gallimard, 1969). / A. Villiers, *la Psychologie du comédien* (Lieutier, 1946); *la Psychologie de l'art dramatique* (A. Colin, 1952). / G. Cohen, *le Théâtre en France au Moyen Âge* (P. U. F., 1948); *Études d'histoire du théâtre en France au Moyen Âge et à la Renaissance* (Gallimard, 1956). / S. G. Pitoëff, *Notre théâtre* (Messages, 1948). / K. S. Stanislavski, « Mise en scène et commentaires sur Othello » dans W. Shakespeare, *Othello* (trad. du russe, Éd. du Seuil, 1948; *Ma vie dans l'art* (trad. du russe, Libr. théâtrale, 1950); *la Formation de l'acteur* (trad. du russe, Perrin, 1958); *la Construction du personnage* (trad. du russe, Perrin, 1966). / J.-L. Barrault, *Réflexions sur le théâtre* (Vautrain, 1949); *Une troupe et ses acteurs* (Vautrain, 1950); *Nouvelles Réflexions sur le théâtre* (Flammarion, 1959). / G. Baty, *Rideau baissé* (Bordas, 1949). / Y. Belaval, *l'Esthétique sans paradoxe de Diderot* (Gallimard, 1950). / J. Scherer, *la Dramaturgie classique en France* (Nizet, 1950). / *Architecture et dramaturgie* (Flammarion, 1950). / R. Bray, *Molière, homme de théâtre* (Mercure de France, 1954; nouv. éd., 1963). / *Enciclopedia dello Spettacolo* (Rome, 1954-1968, 12 vol.). / J. Copeau, *Notes sur le métier de comédien* (Michel Brient, 1955); *Appels-Registres I,* recueil de textes (Gallimard, 1974). / G. Vedier, *Origine et évolution de la dramaturgie néo-classique* (P. U. F., 1955). / A. Veinstein, *Du Théâtre libre au théâtre Louis-Jouvet* (Librairie théâtrale et Billaudot, 1955); *la Mise en scène théâtrale et sa condition esthétique* (Flammarion, 1956); *Films sur le théâtre et l'art du mime* (Unesco, 1965); *le Théâtre expérimental* (la Renaissance du Livre, Bruxelles, 1968). / J. Vilar, *De la tradition théâtrale* (l'Arche, 1955); *le Théâtre, service public et autres textes* (Gallimard, 1975). / L. Goldmann, *le Dieu caché* (Gallimard, 1956). / R. Picard, *la Carrière de Jean Racine* (Gallimard, 1956). / J. Cazeneuve, *les Dieux dansent à Cibola* (Gallimard, 1957). / M. Descotes, *l'Acteur Joanny et son journal inédit* (P. U. F., 1957); *les Grands Rôles du théâtre de Jean Racine* (P. U. F., 1957). / R. Hainaux (sous la dir. de), *le Décor de théâtre dans le monde* (t. I : *Depuis 1935,* Elsevier, Bruxelles, 1957; t. II : *Depuis 1950* et t. III : *Depuis 1960,* Meddens, Bruxelles, 1964 et 1973). / *Les Fêtes de la Renaissance* (Éd. du C. N. R. S., 1957-1961; 2 vol.). / M. Leiris, *la Possession et ses aspects théâtraux chez les Éthiopiens de Gondar* (Plon, 1958). / *Spectacles. Cinquante Ans de recherches,* numéro spécial de la revue *Aujourd'hui* (Boulogne-sur-Seine, 1958). / R. Bastide, *le Candomblé de Bahia, rite Nagô* (Mouton, 1959). / A. Métraux, *le Vaudou haïtien* (Gallimard, 1959). / Zeami, *la Tradition secrète du nô* (trad. du japonais, Gallimard, 1960). / A. Veinstein, R. Gilder, G. Feedley et P. Myers (sous la dir. de), *Bibliothèques et musées des arts du spectacle dans le monde* (C. N. R. S., 1961). / *Les lieux du spectacle,* numéro spécial de la revue *Aujourd'hui* (Boulogne-sur-Seine, 1962). / *Scénographie nouvelle,* numéro spécial de la revue *Aujourd'hui* (Boulogne-sur-Seine, 1962). / R. Barthes, *Sur Racine* (Éd. du Seuil, 1963). / B. Brecht, *Écrits sur le théâtre* [extraits de *Schriften zum Theater,* Francfort, 1963-64, 7 vol.] (l'Arche, 1963). / V. Meyerhold, *le Théâtre théâtral* (trad. du russe, Gallimard, 1963); *Articles, lettres, discours et propos* (en russe, Moscou, 1968). / *Le Lieu théâtral dans la société moderne* (C. N. R. S., 1963). / D. Bablet, *le Décor de théâtre en France de 1870 à 1914*

(C. N. R. S., 1965); *la Mise en scène contemporaine*, t. I : *1887-1914* (la Renaissance du Livre, Bruxelles, 1969). / G. Dumur (sous la dir. de), *Histoire des spectacles* (Gallimard, coll. « Encyclopédie de la Pléiade », 1965). / J. Duvignaud, *l'Acteur. Esquisse d'une sociologie du comédien* (Gallimard, 1965); *Sociologie du théâtre. Essai sur les ombres collectives* (P. U. F., 1965; nouv. éd. *les Ombres collectives*, 1973); *Spectacle et société* (Denoël, 1970); *le Théâtre et après* (Casterman, 1971); *Fêtes et civilisations* (Weber, 1973). / L. Strasberg, *Strasberg at the Actors Studio* (New York, 1965; trad. fr. *le Travail à l'« Actors Studio »*, Gallimard, 1969). / W. Benjamin, *Versuche über Brecht* (Francfort, 1966; trad. fr. *Essais sur Brecht*, Maspero, 1969). / J.-L. Lebel, *le Happening* (Lettres nouvelles, 1966); *Entretiens avec le Living Theater* (Belfond, 1969). / P. Brook, *The Empty Space* (Londres, 1968). / G. Tarrab, *le Happening*, numéro spécial de la *Revue d'histoire du théâtre* (Paris, 1968). / A. Green, *Un œil en trop. Le complexe d'Œdipe dans la tragédie* (Éd. de Minuit, 1969). / P. Bugard, *le Comédien et son double* (Stock, 1970). / *Les Voies de la création théâtrale* (C. N. R. S., 1970-1975; 4 vol. parus). / J. Grotowski et coll., *Vers un théâtre pauvre* (trad. du polonais, Éd. de la Cité, Lausanne, 1971). / J. Polieri, *Scénographie-Sémiographie* (Denoël, 1971).

☐ On peut également consulter les périodiques suivants :
*Bühnentechnische Rundschau*, publié depuis 1907 (Berlin et Bielefeld, bimensuel);
*The Mask*, publié de mars 1908 à mai 1915, puis de mars à décembre 1918, puis de janvier 1923 à décembre 1929 (Londres, mensuel);
*l'Œuvre* [Lugné-Poe] (Paris, 1909-1933);
*les Cahiers du Vieux-Colombier* [J. Copeau] (Paris, 1920-21);
*la Chimère. Bulletin d'art dramatique* [G. Baty] (Paris, 1922-23);
*Correspondance. Revue mensuelle éditée par l'Atelier de Ch. Dullin* (Paris, 1928-1931);
*Tabs. On Theatre Lighting Equipment*, publié depuis 1937 (Londres, trimestriel);
*Educational Theatre Journal*, publié depuis 1949 (Ann Arbor, Michigan, trimestriel);
*les Cahiers Renaud-Barrault*, publié depuis 1955 (Gallimard, trimestriel);
*Maske und Kothurn*, publié depuis 1955 (Vienne, trimestriel);
*Tulane Drama Review (T. D. R.)*, publié depuis 1956 (actuellement édité à New York, trimestriel);
*Scena*, supplément de *Theater der Zeit*, publié depuis 1962 (Berlin, trimestriel);
*Theatre Design and Technology*, publié depuis 1965 (Pittsburgh, Pennsylvanie, trimestriel);
*Interscena*, publié depuis 1966 (Prague, trimestriel);
*Theatre Crafts*, publié depuis 1967 (Emmaus, Pennsylvanie, bimestriel);
*Travail théâtral*, publié depuis 1970 (Lausanne, trimestriel).

Photocomposition M.C.P. — Fleury-les-Aubrais.

IMPRIMERIE HÉRISSEY — ÉVREUX - 27000
Avril 1976. — Dépôt légal 1976-2ᵉ. — Nᵒ 17783 — Nᵒ de série Éditeur 7505.
IMPRIMÉ EN FRANCE *(Printed in France. — 01004-4-76*